石田衣良
ISHIDA IRA

灰色のピーターパン

池袋ウエストゲートパークⅥ

IKEBUKURO WEST GATE PARK Ⅵ

文藝春秋

灰色のピーターパン——池袋ウエストゲートパークⅥ

▼目次

写真（カバー・目次）　新津保建秀
モデル　KOTAO
（étrenne）
装幀　関口聖司

灰色のピーターパン

——池袋ウエストゲートパークⅥ

灰色のピーターパン

女の目は明るい黄緑。星を浮かべた瞳のおおきさは、畳二畳分くらい。まあ、とんでもなくでかい顔の表面積の三分の一を占めるんだから、当然だよな。笑顔のまま開いた口のなかには、赤く丸まった舌先と小型冷蔵庫くらいある白い歯。うわ目づかいの恥ずかしそうな表情のまま、その女はサンシャインシティまえの広場を見おろしている。

着ているのはショッキングピンクのメイド服だ。ヴィクトリア朝のイギリスで生まれ、二十一世紀の日本で最盛期をむかえた様式である。肌の露出をおさえ、あごのしたまで布地で隠してるくせに、ぎりぎりに絞られたウエストのせいで、豊かな胸が強調されている。ひざ丈のスカートのした、どっさりたたまれたフリルのあいだで、ガキがかくれんぼできそうだ。ストッキングは白い格子模様。紫の髪は風になびき、幅一メートルのメビウスの輪を無数につくる。

日本が世界に誇る二次元の美少女は、サンシャインのむかいにある十二階建てのビルの壁面いっぱいに描かれている。夕日を浴びてるときなんか、あまり感受性の鋭くないおれでさえ、きっと未来のアートはこんなふうに、軽やかで巨大で、ものすごく薄っぺらになるんだろうなと感心するくらいだ。

なあ、あんただって、アニメやコミックスは好きだよな。だって、おれたちのささやかな教養の主要部分は、あのカット割とストーリーとキャラの魔法によってできているのだ。

意味がわからないって?

おれがいいたいのは簡単。東京じゃあ秋葉原だけがおたくの街で有名だけど、池袋にもちゃんとアニメやエロゲーのソフトショップが山のようにあるってこと。サンシャインシティまえの一角は、乙女ロードと呼ばれて、どっさりその手のショップがある。新刊古本マンガの店、フィギュアやアニメグッズの専門店、合法非合法のロリコン屋。かつてのアニメ少年少女が年をくって小金をもち、街や風俗の様子を変えたのだ。この世に同じままのものはない。

今回はそのおたくの街にまぎれこんだ灰色のピーターパンのお話。やつはガキだが、ビジネスの腕は上々。たったひとりでバカでスケベな大人たちを手玉に取って、鮮やかに金もうけをしていた。

ただ池袋は安全で清潔なネバーランドじゃない。完璧なはずのビジネスにも金のにおいをかぎつけたいかれたサメが、いつのまにか集まってしまうのだ。カリブの海賊だって、ちゃんといる。ディズニーランドのやつみたいにかわいくないけどね。

おれの話をずっときいてるもの好きなあんたなら、おれが子どもや年寄りに弱いのはわかってるだろ。そんなときには少々無理をしても、手と口をださずにはいられなくなるのだ。今回はちょっとおせっかいの度がすぎたかもしれないが、笑って見逃してくれ。

あんたにだって、あんなふうに切れるように純粋で、世のなかをはずれ、ひとりで生きていくんだと決心していた時期があったはずだ。やせがまんで、胸を張ったりしてさ。

そのくせ心の底では、無条件で誰かに愛してもらったり、抱き締めてもらいたい。そんなすねた子どもの心。昔だけでなく、今だって変わらないって？

わかるよ、ブラザー＆シスター。

おれたちの卵のかけらは、磨り減りはするが、一生青い尻にくっついたままなのだ。


十一月の初めから、東京の街はどこもクリスマスソング一色になる。考えてみると、クリスマスまでのほとんど二カ月、日本人は信じてもいない宗教の音楽を山のようにきかされるのだ。おれたちは実に寛容な民族なのである。

世界のキリスト教徒とイスラム教徒は、おれたちのいい加減さから学ぶところが、おおいにあるはずだとおれは思う。中東とアメリカはコーランと聖書を年に二カ月ずつ交代で読んだらどうだろうか。相互理解の助けになる。一神教徒同士の果てしない泥仕合には、もうつきあっていられない。

十二月にはいっても、池袋の街は秋のようなあたたかさだった。熱帯の夏に引き続いて暑かったのだから、おれのこの冬のファッションも例によって暖冬仕様。だぶだぶのジーンズに、長袖と半袖のTシャツを重ねて、腰にロングカーディガンを巻きつける。ストリートカジュアルに裏ハラジュクのテイストを混ぜたやつ。まあ、あまりフェミニンなのは好みじゃないけどね。

そのときおれが歩いていたのは首都高速池袋線の高架のした、トヨタ・アムラックスのシルバーブルーとサンシャインシティの白にはさまれた渓谷の底のような通りだ。乙女ロードと名はついているが、平日の昼間はほとんどオタク女は見かけない。その通りにはマンガとアニメの店がずらりと並んでいる。

おれのお目当ては、七階建てのビル全部がソフトショップになった「マンガの宇宙」。マン宙の壁には、ばかでかいメイドキャラが描かれているから、あんただって見覚えはあるだろう。有名な池袋のメイドビルってやつ。

いつものルートで店内を回遊する。三階の新刊マンガをチェックして、五階のライトノベルを精査する。このジャンルはいまや案外バカにならないおもしろさなのだ。そして、最後にフィギュアやプラモデルの並ぶ最上階でひと休み。

もっともこのフロアにあるのは何十万という値のついた高級品か、名のあるモデラーが精密に塗りあげた芸術みたいな作品ばかり。おれにはとうてい手がでるもんじゃない。だけど、中坊のころ夢中になった2D格闘ゲームのキャラなんかを、誰かが真剣につくっているというだけで、けっこうわくわくするものだ。

おれは透明なアクリルケースが床から天井まで積みあがった壁の一角を、ゆっくりと展示品を鑑賞しながら歩いていた。時間は中途半端な午後で、おれ以外の客はこの近くの私立校の制服を着たガキがひとり。

おれは天昇脚を放ったまま空中で静止した春麗《チュンリー》をじっくりと観察していた。アクリルケースのなかスポットライトを浴びて、フィギュアは永遠のときを生きているように見える。果てしなく続く必殺技。

ガキはおれの横に立つと、したから四段目のアクリルボックスを見あげた。

「このフィギュア、なあに」

おれが顔をむけると、グレイ霜降りの制帽のひさしがうえをさした。東池袋にある名門、三原学院の校章が見える。みっつのペン先が正三角形をつくるおなじみのやつだ。小学校から高校までエスカレーター式であがれる私立の進学校である。学費が高いのでも有名。全部公立だったおれにはまったく関係ないけどね。

「知らないのか。ストリートファイターの春麗だ。格闘ゲームのヒロイン」

どこかのプロのモデラーがつくったフィギュアには七万を超える値札がついていた。ガキはふーんといって、ケースのなかを見ている。半ズボンと金ボタンのジャケットに黒いランドセル。きっと初等部なのだろう。

「このキャラでよく遊んだの」

小学校の高学年から中学にかけて、ゲーセンの格闘ゲームはそれは熱かった。いまとは比較にならない。おれはガキに余裕を見せていう。

「よく遊んだなんてもんじゃない。あちこちの街から腕に覚えのあるやつが池袋のゲーセンに集まって、トーナメントを開いたもんだ。おれもそこで優勝したことがある」

「ああ、そう」

おれのわき腹くらいしか背のないガキが、細い黒縁のメガネを直していう。カチンときたが、黙っているとやつは店員に声をかける。

「すみません、このフィギュアください」

カウンターのなかで新しいフィギュアにラップをかけていた店員がいそいそとやってきた。

「はい、七十二番ボックスでいいですか」

ガキがうなずくと、腰にさげた鍵の束からおもちゃのような一本を選んで、アクリルボックスを開けた。ぴんと足を伸ばした春麗を慎重に取りだして、おれにいう。

「お支払いは、お客さまですか」

とんでもない。おれは七万なんて現金はもち歩いたことがない。

「おれはこいつと無関係」

ガキはおれのほうを見あげて、にこりと笑った。もてる者の余裕の笑顔。おれはストリートファイターの悪の帝王、ベガのサイコクラッシャーをやつに見舞いたくなったが、無理して貧乏人の笑いを返した。ガキはいう。

「ぼくが払います。簡単に包んでくれればいいから」

やつはランドセルについた鎖を引っ張った。同じ黒革の財布を開く。おれは下品な好奇心に負けて中身をちらりとのぞいた。一万円の紙幣が使用まえの折り紙のようにきれいに整っている。小太りのおたく店員がいった。

「レジにどうぞ」

グレイ霜降りの半ズボンの制服を着たガキは、おれに会釈するとうやうやしく春麗をかかげる店員のあとを澄ました顔でついていった。わかるだろうか、おれたちの世界はいまやもてる者ともたざる者に引き裂かれているのだ。恐るべき格差の時代である。

二十歳をすぎていい大人のおれが、目のまえで小学生においしい獲物をさらわれていく。果物屋の店番なんかやってる場合じゃないよな。おれもなにかITビジネスを始めたほうがいいのかもしれない。

そうしたらフィギュアどころか、経営難のプロ球団やでかいメイドの描かれたビルを、丸々買えるかもしれない。おれは宝くじを買うまえに、一億円のつかい道を考えるタイプなのだ。

なんだか救われない話。


ゼロワンに呼びだされたのは、それから三日後のこと。場所はあいつのオフィス。東池袋にあるデニーズだ。あのアニメ通りの先にある二十四時間営業の店。窓際の一番奥のボックスシートに座ったやつはいう。

「ようやくマコトにも運がむいてきたな」

意味不明だった。おれはゼロワンのスキンヘッドを見た。額から頭頂部にかけてふた筋走るインプラントは変わらない。だが、顔中にステンレスのピアスが増えている。人間の顔というより銀の飾りをつけすぎたクリスマスツリーみたいだ。黙っているとやつはいう。

「今回はしっかり金が取れる仕事だ。手つけの半金が十五万」

口笛を吹きそうになった。だいたいおれのところにもちこまれるトラブルは金のない貧乏人のものばかりなのだ。それでも、口は反対をいう。

「おれはやばい筋のは受けないよ」

ゼロワンは眉毛の端につけた重そうなピアスをいじっていた。

「そっちのほうじゃない。とりあえず話をきいてやれ。おまえなら絶対に受けるはずだ」

池袋の情報屋にして、北東京一のハッカーは自信満々だった。しゃくにさわっておれはいう。

「目のうえにそんなドーナツみたいなものぶらさげて、前方の視界は悪くならないのか。おまえのピアスいったいいくつになったんだ」

笑うと頭の皮膚が突っ張って、やつは優しい鬼のような顔になる。ゼロワンはかすれた声でいう。

「十七個。なかなか悪くないもんだ。ほら」

やつはペーパークリップを、眉のピアスからぶらさげてみせた。

「こいつは特注で、磁石になっていてな。なかなか便利なんだ」

おれはあきれて顔のまえでクリップを揺らす情報屋を見つめる。

「わかったから、そんなもの取ってくれ。おれまでフリークスと思われる。それでいつ話をきけばいい」

ゼロワンはにやりと笑うとガス漏れのような声をだした。

「すぐにいってやれ。あまり遅くなれないそうだ。依頼主はジュンク堂のとなりのスターバックスで、おまえを待っている。この街一番の腕利きだとふかしておいたから、せいぜいしっかりやるんだな」

話が終わると目のまえにいるおれには関心がなくなったようだった。ゼロワンはファミレスのテーブルに二台並べたノートパソコンの画面にもどってしまう。

まあ、やつの場合実際に生活してるのは、こっちのリアルワールドでなく、そっちのビットワールドのなかなんだけどな。


池袋にはむやみにスターバックスがある。おれにはドトールも、プロントも、ヴェローチェも変わらない。もともとおしゃれな感じの店が苦手なのだ。必死にメニューを眺めて、なんとか・モカ・マキアートというのを注文する。

おかしなキャップのついた紙コップをもって、二階にあがった。十二月の午後の熟れた日ざしが落ちるソファ席で、おれに手を振るやつがいる。グレイ霜降りの半ズボン。あのメガネの生意気なガキだった。まわれ右をしようかと思ったが、おれはやつのむかいに座った。話くらいきいてやってもいいだろう。

「ふーん、なんだ。そっちが真島誠なんだ」

「おれはそっちでもこっちでもない。おまえ、名前は」

ひとりがけのソファの中央にぽつんと座ってやつはいう。

「小野田稔」

「何歳」

やつはメガネを直して、不満そうな顔をした。

「大人はすぐにぼくがいくつだとか、何年生だとかいう。そんなこと、関係あるのかな。ぼくはちゃんと仕事の依頼をしたいと思ってるのに。そっちはいくつ」

やつの真剣な顔を見た。確かにおれがいくつかなんて、この話には関係なかった。

「わかったよ。おれの年だって確かにどうでもいいもんな。でも、おれに相談するくらいだから、やばいことなんだろ。それなら、おまえが未成年かどうか、未成年でも十四歳になってるかどうか、関係してくると思う」

おれはじっとガキの顔を見た。なぜ最近のガキはみんな頭がちいさいんだろうか。頭蓋骨が縮小するなんて優性遺伝はきいたことがない。

「見ればわかるよね。三原学院初等部五年。でも、これからいうことは、うちの親にはないしょにしてほしい」

まじめに話している最中に、やつの目が泳いだ。おれの背後を左から右へ、バルコニーから階段のほうへと動いていく。おれもちらりと振りむいてチェックした。あぶないやつがこのガキをつけてるかもしれないからな。

だが、階段の手すりにもたれていたのは、携帯電話を耳にあてた女子高生だった。顔はいまいち。足も電柱みたいに太い。だが、紺のラルフローレンのカーディガンのした、チェックのスカートは思い切って短かかった。長さは文庫本程度。なんとかショーツの底を隠すくらいだ。

「おまえ、ああいうのがタイプなの」

半ズボンがバカにしたようにいう。

「あんな人のどこがいいのかな。大人ってわかんないよ。自分が女子高生だってだけで、いい値がつくと思ってる。足太いのに、スカート短くしちゃってさ。あれはみんな大人の男が悪いんだよ。若いってだけで、ちやほやしてさ」

意外とまともなことをいう小学生だった。

「じゃあ、なんでチェックいれてるんだよ」

ミノルは片手で緑色の携帯電話を取りあげた。

「ハイ、イチたすイチは」

携帯のデジカメでおれを撮影する。シャッター音がしなかった。静寂のまま撮影が終了する。やつは液晶画面をおれのほうにむけると、画像をまえにもどした。ちいさなディスプレイにしたから写した女のスカートの中身が、生々しく浮きあがる。白い足のあいだの小花柄のショーツ。スカートの細かなプリーツが揺れて、ぶれを起こしている。ガキはつまらなそうにいった。

「これがぼくのビジネス」

おれは驚いていった。

「おまえ、どうやってシャッター音消してるんだ」

ミノルはにっと笑って、半ズボンのポケットからもう一台の携帯を取りだした。両手にひとつずつもって得意げにいう。

「こっちが電話につかうほう。こっちの緑のやつは撮影専門だから、スピーカーにつながるコードを切ってあるんだ。仕事用だよ」

「パンチラ映像がビジネスか」

盗撮用に違法改造をした携帯電話をもつ小学生。二十一世紀の子どもたちは、どこまで進化するのだろうか。おれにはついていけそうにない。

「これをCD―Rに焼いて、ネットで販売する。あれこれ試したんだけど、高性能のデジカメより、画素のすくない携帯のCCDのほうが、お客には評判がいいんだ。そっちのほうがリアルだって。それに価格もね、安くするより高いほうがよく売れる」

おれはあきれて名門校の初等部にかようビジネスマンを見た。

「それも試したのか」

やつはうれしそうにうなずいた。

「うん。一枚三千円と七千円。同じものを売ってるのに、注文は七千円のほうが倍以上になる。なんかみんな高いほうが中身があるなんて、かん違いするみたいだ」

おれも反省した。高いからにはそれだけのコストがかかってるなんて、おれたちは盲信しがちである。資本主義の神話だ。

「よかったじゃないか。商売はうまくいってるんだろ。春麗のフィギュアをぽんと買うくらいなんだからな」

ミノルは浮かない顔をする。ソファの横においた制帽を手にしていじり始めた。生意気なチビの商売人が急に年相応の小学生に見えてくる。

「それが変な人たちに秘密を知られてしまった」

よかった。おれはこのガキにだけ、神さまが不公平に幸運をさずけたのではないかと心配していたのだ。にっこりと大人の余裕の笑顔をガキに見せてやった。

「それで、なんに困ってるのかな、ミノルくん」

「うちのクラスの大山くんのせいなんだ」

ちいさな声でやつはいう。おれはホームルームで恐喝を受けるミノルを想像した。なんだかうれしかった。ちょっとくらい痛めつけられたほうが、このガキにはいい薬かもしれない。

「大山くんには高等部にお兄さんがいて、その翔太くんがぼくの仕事を手伝ってやるって、うるさいんだ」

小学生の非合法ビジネスに手をだす高校生か。弱肉強食はＩＴビジネスや球団経営だけではなさそうだった。

「そいつはつかえるやつなのか」

ミノルは首を横に振った。

「撮影する度胸もないし、パソコンはつかえないし、まともな計算もできないよ。うちの学校ってエスカレーターでうえにすすめるでしょう、途中でついていけなくなった人も、高校生になれるんだよね」

ため息をついて、ミノルはおれを見あげた。おれはやつの目を見ていった。

「おまえも自分のやってることが立派な仕事だなんて思ってないよな。それでもずっと盗撮ＲＯＭを売るつもりなのか」

ミノルは肩をすくめた。進学校の灰色の制服は、しゃれた動作にはぴったりだ。

「いつまでもこんなことやるつもりないよ。もっとおおきくなったら、自分で会社をつくるもん。

でも、小学生では誰もつかってくれないし、会社の登記もできない」

なにか金が必要な事情でもあるのだろう。おれはクライアントのプライベートには踏みこまないことにした。だいたいおれはいつだって深いりしすぎるのだ。

「で、問題はそのショウタってやつひとりなのか」

浮かない顔でミノルはいった。

「ううん。ショウタくんには重行くんと浩一郎くんていう仲間がいる」

名門校の落ちこぼれ不良三人組か。今回の相手は、ボクシングのモスキート級なみに軽そうな相手だった。このガキなら金をもらっても、ぜんぜん良心の呵責は感じないしな。ラッキーである。

「それでやつらはなんていってる」

「ぼくの仕事に一枚かませてくれなければ、うちの親や学校にばらすって。そうしたら、ぼくは退学になるし、うちは大騒ぎになるよ。今さら仕事をやめても、昔のＲＯＭが残ってるし」

それでは事業の継続も、撤退もできないことになる。困った話になった。

「じゃあ、税金だと思って、やつらに金をわたしたらどうだ。しかたないだろう」

ミノルは顔色を変えた。声変わりのするまえの高い声で、叫ぶようにいう。

「利益の半分をよこせっていうんだ。法人税の税率は三十パーセントだよね。なにもしないショウタくんたちが、そんなに取るなんてずるいよ」

確かにミノルのいうとおりだった。なにもしないで、利益の半分はないだろう。このガキは盗撮映像を売りさばいている割には、どこか不思議なバランス感覚があるようだ。ミノルはおれの顔を見あげる。メガネ越しの目には、このごろちょっと見なかった透明感があった。

「マコトさんて、池袋一のトラブル解決屋なんだよね。ショウタくんたちを、なんとかしてよ。毎回でなくて、一回だけだったら、口どめのお金をだしてもいいと、ぼくは思ってる」

おれはなんとか・モカ・マキアートをのんでいった。

「いくらまで」

小学生は迷いなくこたえる。

「ひとり十五万まで、三人で四十五万円が限界」

確かおれの報酬の半金が十五万だったはずだ。不思議に思いきいてみる。

「なぜ十五万なんだ。なにか、その金額にこだわりがあるのか」

灰色の制服の小学生は、黙ったまま首を横に振った。おれたちは、それから携帯電話の番号を交換して別れた。ミノルの家は雑司が谷にあるという。ここからなら、子どもの足でも歩いて十分ほどだろう。おれは妙にもの悲しい『ママがサンタにキスをした』をききながら、ジュンク堂の角で黒いランドセルの背中を見送った。


さすがに優秀なビジネスマンは違った。その夜のうちにミノルから電話があり、高等部の三人とのミーティングを決めたという。翌日の放課後、場所は目白駅まえにあるマクドナルドだ。

おれはなにも考えていなかった。高校生とのもめごとなのだ。別にむずかしくすることはないだろう。やつらは坊ちゃん高校の学生である。もしミノルのことを学校にばらすというなら、やつらがミノルに金をせびっていたことも、明るみにでる。

それでもゆすりをやめないようなら、やつらが恐れるものを見せてやればいい。池袋の街で生きてるガキなら、Gボーイズの噂を知らないはずがなかった。おれはあまり人の名前をつかって仕事をするのは好きではないが、いざというときにはキング・タカシの名をだすつもりだった。まあ、やつにはずいぶんと無料で手を貸しているので、それほど嫌な顔はしないだろう。そのときには、いっぱいおごってやればいいのだ。どんな王様だって、家来とばかりのんでいたら、気がめいってくる。おれとやつのあいだには、組織のルールはないからな。

おれは約束の時間まで、ゆっくりと西一番街の果物屋の店番をした。客がいなくて、天気がよくて、あたたかな十二月。店先にぼんやり立っているのは、なかなかいい気分だ。レジのわきにおいてあるCDラジカセで、モーツァルトの傑作オペラ『魔笛』をかける。夜の女王とか鳥さしとか司祭とか、登場人物はちんぷんかんぷん。フリーメイソンの影響を受けたというストーリーは、まるで意味がわからないところがある。けれど、おとぎ噺《ばなし》の楽しい雰囲気とすごいメロディがどっさり詰まってるのだ。十二月のひまな午後のだるだるの雰囲気にぴったりである。

「マコト、こいつもクリスマスソングなのかい」

教養のないうちのおふくろは、三人の少年の合唱をきいてそういった。おれは店先でしゃがみこんで、王林をパック詰めしながらこたえる。

「いいや、モーツァルト。クリスマスとは関係ない。知ってるだろ」

おふくろははたきの先で拍子をとりながらいった。

「ああ、乳牛のお乳のでがよくなったり、妊娠中にきかせると赤ん坊の頭がよくなるって音楽だろう」

ダウンジャケットで着ぶくれしたおふくろが、悲しそうな目でおれを見た。

「あんたのときも、ちゃんときかせてやればよかった」

おれが工業高校卒なのは、誰のせいでもない。意味もなく一戦交えそうになったが、おれはおふくろの挑発にはのらずにおいた。もうでかける時間だったのだ。だが、モーツァルトを胎教でつかったら、おれも三原学院なんかにいって、盗撮ROMでひとかせぎしていたのだろうか。

まあ、悪くない学園生活ではある。とても池袋的だしな。


新しいディズニーのハッピーセットのおかげで、目白のマクドナルドは親子連れで混雑していた。おれはミノルと店のまえで待ちあわせをして、二階の窓際の席を取った。通りのあちこちにクリスマスツリーとリースが見える。今年の流行はファイバーグラスをしこんだツリーのようで、赤から紫、紺から青、緑から黄、最後に橙《だいだい》を経由して、再び赤へとゆっくりと七色の変化を繰り返していた。きっと中国製のおもちゃなのだろうが、安いおもちゃでも、年々ハイテク化していくものだ。ローテクなままなのは、人間だけである。

ミノルはじっと通りのむかいにある携帯電話売り場のツリーを見おろしていた。妙にさびしそうだ。

「おまえんちでは、ツリーとか飾らないの」

ぼんやりしたまま返事がない。しばらくして、おれがいるのに初めて気づいたようにいった。

「うちもいちおう飾るよ。あんな電気はないけど」

おれは最初に会ったときから気になっていたことをきいた。

「おまえんちって、どういう家なの」

ミノルは制服姿で、窓から正面のおれのほうにむいた。じっと考えていう。

「白い家」

普通、どんな家かと質問されて、建物のことをこたえるやつはいないだろう。

「そうじゃなくて、家族の話だ。とうさんとかかあさんとかさ、おまえの……」

そのとき、おれたちの座るアルミテーブルの横から声がかかった。精いっぱい虚勢を張ったガキの声。見なくても、おれにはわかった。例の間抜け三人組。


制服のジャケットの襟は立てられ、白いシャツのまえ立ては腹のあたりまで開いていた。首には重そうな銀のネックレス。クロムハーツのようなデザインだが、きっとパチものだろう。腰ばきした灰色のパンツの裾は泥に汚れている。黒い革のローファーは高級品なのだろうが、裸足のかかとで踏まれ、スリッパのようだった。三人組の中央のガキがいう。

「待たせたな。あんたが、真島誠か」

三人が手にしているのは、百円に値さげされたマックシェイクだった。どんなにすごんでも、ストロベリー味のシェイクをもっていたら、効果は半減する。

「ああ、そうだ。座ってくれ」

股を直角に開いて座るには四人用のテーブルは狭いようだった。まんなかの銀髪のガキがひとりだけ足を思い切り開き、わきのふたりは一度も磨いたことのない靴で足を組んだ。

「おれが大山翔太。こいつは安達重行と前田浩一郎。おれのダチだ。あんたの名前はきいたことがある。Gボーイズで名を売ってるんだろ」

いいことなのか、悪いことなのか、わからなかった。おれはとりあえず弁明しておいた。

「おれはあのチームには、はいってないよ。友人は何人かいるけどな」

錆びた銀髪がにやりと笑った。

「知ってる。Gボーイズの王様、安藤崇だろ。うちの学校も池袋にあるんだ。あんたたちの噂をきかないはずないだろ」

光栄ではあるが、ちっともうれしくはなかった。そんなことで名前が売れるくらいなら、うちの果物屋の宣伝でもしてもらったほうがいい。ショウタはおれから視線をはずし、ミノルをにらんだ。

「おい、チビ、おまえなんで、関係ないやつまで呼んできたんだ。おれたちだけの話だろうが」

おれは口をはさんだ。

「おいおい、おまえたちは高校生が三人で、相手は小学五年生のガキだろ。おれひとりくらい加勢したって、ぜんぜんおかしくないじゃないか」

ショウタはにやにや笑っていう。

「だから、あんたは関係ないって。これはおれたちとミノルのビジネスの話なんだよ」

おれも三人に笑顔を見せてやる。

「ガキから金をゆするのが、おまえたちのビジネスか」

ショウタは左右のふたりと顔を見あわせた。わざとびっくりした表情をつくって、おれを見た。

「もとはといえば、そこのガキが盗撮なんかしてるから悪いんだろうが。おれのころは初等部で、そんなことは教わらなかった。おれたちはこいつに注意して、いいほうに導いてやろうと思ってるのさ」

なかなかしゃれたことをいうガキだった。おれのいってた工業高校なら、もうテーブルがひっくり返っていただろう。やはりお坊ちゃん高校は違う。

「おれはミノルからあんたたちと交渉するように頼まれている」

ショウタは余裕たっぷりだった。イチゴ味のシェイクをのんでいう。

「それで」

「条件はひとつしかない。おまえたち三人にひとり十五万ずつ口どめ料を払う。金を払うのは、それが一度きり。二度目はないし、おまえたちはこいつのビジネスには手も口もださない」

「なんだそりゃ」

「ふざけんな」

カフェのように改装されたばかりのマックの二階で三人は叫び声をあげた。客の視線がおれたちのテーブルに集まる。おれは視線を無視して、声をおさえ三人にいった。

「ほかにおれたちが示せる条件はないんだ。ミノル、きかせてやれ」

ミノルは半ズボンのポケットから携帯をだした。盗撮用の緑のほうではなく、スピーカーの生きてるやつだ。やつのちいさな手がテーブルの中央に携帯をかかげる。ざらざらとした録音の声が流れだした。

「いいか、おまえがなにをして金をつくってるか、おれたちは知ってる。悪いことはいわない。親や学校にばらされたくなかったら、金をよこせ。そうだな、あがりの半分もよこせば、ずっと黙っててやるよ。おまえの仕事の手伝いをしてやってもいいしな」

それはショウタの声だった。ミノルは携帯のスイッチを操作して、再生をとめた。おれはいった。

「おまえたちより、初等部のガキのほうが一枚上手だったのさ。ミノルはこんなときのために、携帯電話でおまえの脅迫を録音していた。おまえたちが、誰かに話すというなら、ミノルの盗撮仕事もばれるが、おまえたちのゆすりもばれる。痛み分けでいい勝負だろう。なあ、ひとり十五万で手を打っておかないか。悪い話じゃないはずだ。なにしろ、おまえたちはまったく働いていないんだからな」

左右に座るシゲユキとコウイチロウは、椅子の座り心地が急に悪くなったようだった。そわそわと動きだす。

「ちょっとここで待っていてくれ」

ショウタがおれにそういって、三人は奥のソファ席に話をしにいってしまった。スターバックスもマックも、最近はソファがあるのがあたりまえになっている。ちなみにおれの四畳半には、ソファなんてない。今回の簡単すぎる仕事の報酬で、おれもひとりがけのソファを買おうかな。もっともそんなものをおいたら、布団を敷く場所がなくなってしまうが。

ミノルを見ると、頬が興奮で赤くなっていた。黒縁のメガネと赤い頬。なぜ、こいつが盗撮なんかしてるのか、わけがわからない。どう見ても学習塾がよいの小学生だ。おれは黙って、腕利きの五年生にＶサインをだした。やつは堅実な性格なのだろう。まだ同じサインをおれに返さなかった。

慎重なガキ。だが、勝負はそこからもつれたのである。ミノルにはおれが、三人組にも別なバックがついてきたのだ。これだからガキのもめごとは面倒。

ソファ席からもどってきたショウタの顔色が変わっていた。言葉づかいさえまともになっている。

「すみません、マコトさん」

明らかになにかにおびえているようだった。するとショウタはいきなりとなりに座るシゲユキの頭を張った。ベテラン漫才コンビのつっこみのようだ。小気味いい音が響く。

「さっきの話、おれたちだけなら、ＯＫだったんですけど、こいつがちょっとやばい筋にこのネタを漏らしちゃって」

おれはあきれて人格の変わった不良少年を眺めていた。やばい筋？　また、どこかの暴力団の下部構成員の出番なのだろうか。おれの苦手な人種だが、池袋の街ならまだいくつかつかえるルートがあった。

「やくざ方面の人？」

おれがいうと、ショウタは懸命に首を横に振った。どうやらこの三人には暴力団よりもっと怖い人物らしい。黙っていたシゲユキが長髪をかきあげながらいう。

「すみません、今日ここにくる途中でグリーン大通りで、あの人に会っちゃって、最近なにかいい話はないかっていうから、怖くてばらしちゃったんです」

意味がわからない。おれはミノルを見てからいった。

「それで、相手は誰なんだ」

恐るおそるシゲユキがいう。

「丸岡さん」

えーっと声をあげたのはミノルだった。おれ以外の誰もが知っている有名人らしい。

「それ誰なんだ」

ショウタが舌打ちをしていった。

「うちの高校のOBで、とんでもなく凶暴な人なんです。ぶち切れるとなにをするかわからない。理屈もとおらないし、市販薬のジャンキーでいつもハイなんです」

さっきまで赤かったミノルの頬が青くなっている。

「ぼくもきいたことがある。丸岡さんて、マッドドッグっていうあだ名だよね。ぼくがきいた噂では、三十人対ひとりでケンカして勝ったって」

ほんとうだろうか。WWEのリングネームみたいなあだ名をもつ男。タカシでも三十人相手ではむずかしいだろう。おれの表情を読んで、ショウタがいった。

「ほんとですよ。丸岡さん自身もこぶしと肋骨を折ったけど、ケンカには勝ちました。半分くらいやったところで、むこうが怖くなって散りぢりに逃げたから」

シゲユキが泣きそうな声をだした。

「だってあの人まともじゃねえもん。少年院のなかでも、ずっと問題起こして、ひとり部屋だったみたいだし」

池袋の街だってまだまだ広い。おれの知らない化けものがずいぶんいるみたいだった。ショウタがまたシゲユキの頭をたたいていった。

「そういう大事なことは先にいえよ。それで、丸岡さんはこの件はおれの仕事にするっていってたらしいです。こいつ、そのガキの電話番号もぶるって教えちゃったから、もうおれたち手を引きたいですよ」

情けない顔でおれとミノルを見る。ショウタがもういこうぜというと、三人組は口どめ料の交渉もせずに席を立ってしまった。


おれとミノルはマックをでて、目白通りを歩いた。川村学園と学習院と目白小学校、この通りには学校がたくさんあって、両側にはきれいに並木がそろっている。ケヤキやイチョウの枯葉で、静かな歩道は豪華なじゅうたんを敷きつめたようだった。池袋の繁華街とは違って、こんな場所ならクリスマスソングだってもっともらしくきこえる。

おれは制服のミノルにいう。

「どうする、なんだか、おかしな展開になってきたけど。その丸岡とかいうやつ、そんなにあぶないのか」

ミノルは枯葉を蹴るのが楽しいようで、ちいさな革靴のつま先で赤や黄を散らしながら歩いていた。

「よく知らないけど、怖い人みたい。うちの学校って、進学校だからあんまりすごい不良っていないんだけど、その人だけは特別なんだって。学院では丸岡さんがきたら、先生がすぐ警察を呼ぶことになってる」

「そうか、じゃあ、まだ仕事は終わりじゃないんだな」

「うん。あのさ、マコトさん、ときどきいっしょに歩かない」

恥ずかしそうにうつむいて、ミノルはつま先を見ている。

「ぼくは学校に友達がすくないでしょう。こうやって、いつも誰かといっしょにいるなんて、めずらしいんだ。マコトさんなら、有名みたいだし、ボディガードにもなる。この依頼とは別に料金を払ってもいいからさ」

おれは灰色の制服を着たガキにいった。

「誰かと歩くために金なんか払うやつはいないぞ。おれはまだ仕事中だから、毎日でもいっしょに歩くさ。でも、全部終わったら、金じゃなくて、おまえ自身の魅力で勝負しなけりゃだめだ。そんなことじゃいくつになっても、女にもてないぞ」

あいかわらず女のいないおれの言葉だ。説得力は薄いが、小学生にわかるはずがない。ミノルは鋭かった。

「そんなこといっても、マコトさんの携帯には、ぼくといっしょにいるあいだ女の人からの電話一回もはいったことないよね」

正解。くやしくていった。

「だけどな、男の価値を決めるのは、女の数じゃないだろ」

「そうだね。パンチラなんて、ぼくもつまらないことしてるな」

北風が吹いて、歩道のケヤキの枝を揺らした。赤茶色の葉が幕がおりるように厚く降ってくる。おれはミノルの制帽に手をのせていった。

「それがわかってればいいさ。おれはホームルームの先生じゃないから、おまえのやってることがいいか悪いかはいわない。自分で試して、自分でこたえをだすといい。すくなくともおれの五年のころより、おまえのほうがずっと賢いからな」

おれたちはそれで千登世橋のロータリーをゆっくりとおりて、明治通りにはいった。地下鉄工事の影響でいつも混雑してる東京の幹線道路だ。家に帰るというミノルに横断歩道で手を振って別れた。ランドセルの背中が左右に揺れながら遠ざかっていく。

おれはひとりっ子で、ほかに兄弟はいない。年の離れた弟がいたら、こんな気分なのかもしれないと思った。賢くて生意気で、ときどきどきりとするような素直なことをいう。おれも昔はあんなふうにかわいかったのだろう。

まあ、盗撮をしたことはなかったけどね。


翌日は急に冷えこんで、東京も年末らしい寒さになった。それでも平年なみらしいが、暖冬に慣れた身体には一桁《ひとけた》の気温は厳しい。おれは去年のダウンジャケットを引っ張りだして、店に立った。

ボーナスがでたあとなので、ちょっとだけ売りあげはうわむいている。うちの店の景況指数ではドン底は去年の夏から秋にかけてだった。あのころにくらべたら、ほんの数パーセントだが状況は改善されている。もっともおれの給料に反映するほどの上昇じゃないけどね。

なにもすることがなくて、店先でぼんやりしていると、携帯電話が鳴った。

「もしもし、マコトさん」

悲鳴のようなミノルの声だった。

「どうした」

「丸岡さんがきてる」

「どこに」

「ぼくのうちのまえ。今朝から何度も番号非通知の電話がかかってきて、ずっとシカトしてたら、あの人がうちのまえの通りにいるんだ。さっき学校から帰ってきたときは、いなかったんだけど。こんなに寒いのに、シャツ一枚でずっとガードレールに座ってる。なんだか死神みたいな人だ」

ガードレールに座る死神。一度おれも見てみたくなった。ミノルの声は震えている。本気で怖がっているようだ。

「ねえ、マコトさん、どうしたらいいの」

さて、どうするか。ひとまず丸岡をミノルの家から離さなければならない。

「わかった。いいか、つぎに電話が鳴ったら、応答しろ。それでこれから話をしようというんだ。どこか人のたくさんいる場所がいいだろう」

最初にウエストゲートパークを考えたが、この寒さじゃ小柄なミノルにはきついだろう。

「東京芸術劇場のエスカレーターをあがったところにある喫茶店知ってるか。あそこで一時間後に待ちあわせにしよう。おれもいくから、ミノルもこい。まだ時間早いから家をでられるだろ」

ミノルの声はまだ震えていた。

「だいじょうぶ。うちのおかあさんは今日はパートの日だから、しばらく帰らない。じゃあさ、いっしょに晩ごはんたべようよ。ぼくがおごるからさ」

いくらおれが貧しい果物屋の店員でも、小学生にめしをおごられるわけにはいかなかった。

「割り勘でいい。じゃあ、うまくいったら、また電話くれ」

おれはそういって西一番街の通りを見た。雲が厚く冬空をおおって、一面の灰色に煙っている。夕方にかけて寒さはさらに厳しくなるようだった。おれは誰かに狂犬と呼ばれる人生について想像してみた。

池袋みたいなほこりっぽい街のなんでも屋と呼ばれるほうがずっとましだ。


おれはきっかり一時間後、芸術劇場まえの広場に立った。ウエストゲートパークでは、この寒さでも青空将棋に人だかりができている。噴水まえにはキーボードとアンプをもちこんだ弾き語りがひとり。べたべたに濡れたラブソングをうたってる。ベンチでは恋人たちが周囲から完全に孤立して、ふたりの世界に閉じこもっていた。誰もが他人のしていることに無関心なのだ。無数の人がそれぞれの孤独を誰とも分けあわずに、この場所と時間を生きている。おれには都会の冷たさや無関心が心地よかった。この街で生まれ二十年以上も生きていれば誰だってそうなる。

「待った、マコトさん」

はじめて制服姿でないミノルを見た。ジーンズに灰色のパーカー、そのうえにオレンジ色のダウンベストを重ねている。ミノルの母親はなかなか服の趣味がいいようだ。

おれたちは中ホールにあがるエスカレーターにのった。ここのカフェはいつきても、必ず空席があるのだ。どこでも好きなところにとウエイトレスにいわれて、高さ五メートルはあるピクチャーウインドウの近くに席を取った。ガラスのむこうには、芸術劇場の巨大なガラス屋根が見える。あちこちに点々と寒そうなハトが羽を休めていた。巨大な楽譜に打たれた無数の休止符のようだ。

最初にガラスの扉を押して店にはいってきたのは、目のまわりを青く腫らしたショウタだった。そのあとにシゲユキとコウイチロウが続く。シゲユキは最後まで直立不動でドアを押さえている。丸岡は背の高い男だった。百九十センチ近くあるのではないだろうか。擦り切れて穴の開いたジーンズは、デザイナーズブランドのユーズド加工ではなさそうだった。裸の胸が見えるシャツは、軍服みたいなオリーブドラブ。ポケットが無数についたデザインだ。

なにより印象的なのは、やつの身体の線だった。おれならこいつをデッサンするのは簡単だ。マッチ棒を一本描いて、手足をつけて、それでおしまい。頬も目もあごのしたも、えぐりとったようにくぼんで、生気がない。

ショウタはおれに目で挨拶して、紹介する。

「こちらが丸岡さん、うちの学院の先輩です」

やつはまったく表情を変えずに、スチールの座面を黒革で包《くる》んだ椅子に座った。三人組もとなりのテーブルを寄せて、席を取った。丸岡はウエイトレスにホットコーヒーを注文した。

誰もなにもいわない。全員が丸岡が口を開くのを待っているのだ。おれはじっとやつを観察していた。きちんと話をするなら、マッドドッグの情報がすこしでも多いほうがいい。

コーヒーが届くと、丸岡は砂糖のポットを手元に引き寄せた。ふたを取り、スプーンでグラニュー糖をいれる。一杯、二杯。そこまでは普通だった。だが、やつの手はとまらない。五杯、六杯。なにかのデモンストレーションなのだろうか。それにしては、やつは真剣に手元を見て、砂糖をコーヒーカップに移し続ける。

全部で十杯いれたところで、丸岡はかきまわしもせずに、コーヒーをひと口すすった。砂糖のいれすぎで、中身が縁《ふち》からあふれそうだ。やつは目を閉じて、ゆっくりと味わっているようだった。しばらく考えて、もう二杯のグラニュー糖を足した。今度は満足そうにのむ。どろどろに砂糖の溶けた熱いコーヒーを、ひと息で半分くらいのどに流しこんだのだ。

それを見ていたミノルが震えだした。おれは正直なところ吐き気と闘っていた。ミノルのような理性的なタイプには、丸岡のいかれた部分が怖くてしかたないのだろう。いかれた人間を見た数では、おれのほうが人生経験の分だけ有利だ。

まあ、何度見ても気分のいいものじゃないが、おれは大勢の三原学院の関係者同様、マッドドッグの意味するところを理解した。

「それで、おまえが小野田稔か。そっちが、Gボーイズの探偵の真島だな」

骸骨に話しかけられた気がした。骨が話したらこんなふうかもしれないと思わせる高く乾いた声だ。

「おれがおまえの仕事の面倒を見てやる。ここにいる三人は、おれのところの人間だから、おまえの手伝いをさせる。金は六割おれによこせ。あとはおまえたちで半分ずつだ」

丸岡はそれだけいうとひと仕事終えたように背もたれに身体をあずけた。砂糖でどろどろのコーヒーをのみほして、胸のポケットを探る。やつの胸ポケットは魔法のポケットだった。いくらでも錠剤がでてくるのだ。テーブルに紙ナプキンを広げて、やつは錠剤の山をつくっていく。

ざっと三、四十錠はあるだろうか。さまざまな色と形の薬がひと瓶分ほどちいさな山になった。カラフルな棒倒しでもできそうだ。丸岡はそれをてのひらにのせて、三回に分けてのんでいった。自分の水だけでは足りずに、ショウタの分の冷水ものんでしまう。

たったひとりのフリークショーだ。満足そうにうなずいて、やつはいった。

「そっちにもいろいろと考えることがあるだろう。返事はつぎの機会でいい。だが、おれをがっかりさせるな。おれはがっかりするのが大嫌いで、そういうときには自分を抑えられなくなる。自分が誰だかわからなくなるんだ」

大量の市販薬でラリったマッドドッグが夢見るようにいった。夢のなかの登場人物にならいくら暴力を振るってもかまわないのだろう。

なにせ、そこは痛みのない国だからな。

丸岡はうっとりとなにもない空中を見つめている。その場の空気がフリーズした。誰も動かず、なにもいわない。するとマッドドッグは急に席を立った。トイレにいくのかと思い見ていると、ガラスの扉を開けて外にでていってしまう。

おれは小声でショウタにいった。

「あいつ、だいじょうぶか」

ショウタは左目の青あざを押さえて、首を横に振る。おれはいう。

「いつもああなんだ。どこにいっちゃったのかな」

「わかりませんよ、マコトさん。丸岡さんはぜんぜん予想のできない人だから、あのまま家に帰っちゃったのかもしれないし、一時間後にこの店にもどってくるかもしれない。誰にもあの人がなにするかわからないんです。で、いきなりなぐられたりする」

ショウタのわきで三人組の残りが震えていた。シゲユキがいう。

「おれ、もうやだよ。金なんかいらないから、この話から抜けたいよ。マコトさん、丸岡さんをなんとかしてくれませんか」

困ったことになった。最初の脅迫者からの依頼まで重なってしまったのだ。まあ、この間抜けな三人には金はぜんぜんないだろう。さて、どうするか。

「わかったよ。ミノルの依頼もあるから、なにか考えてみる」

おれはそこで、三人組の携帯電話の番号をゲットした。おれの携帯のメモリーの九十五パーセントは、こうして男の番号で埋まっていく。この生きかたを、なんとか改めることができないものだろうか。来年の抱負にしよう。

おれたちはそれから三十分、丸岡が帰ってくるのを待った。やつは帰ってこなかった。レジのウエイトレスに先に帰ると伝言を残して、おれたちは店をでた。ウエイトレスは不思議そうな顔で、おれたちを見送る。

不思議なのは、おれたちも同じだったけどね。


その夜は五人でラーメンをくった。西口にある光麵で豪華に全部のせだ。きちんと話をしてみると、三人組もそれほど悪いやつらじゃなかった。ちゃらんぽらんなところはあるが、日本全国の高校生には、おおかれすくなかれそんなところがある。別に不満などなくても荒れてみたいし、傷ついていなくても傷ついた振りがしたいのだ。

西一番街の店のまえで、みんなと別れた。おふくろはおれの顔を見ると、なにもいわずに二階にあがっていく。夜七時の健康バラエティが見たいのだろう。血液をさらさらにするとか、肌の張りを回復するとか、内容はローテーションを組んでまわっている。おれは健康だから、健康番組など見るつもりはない。

白熱電球に照らされたリンゴやミカンを眺めた。悪くない見世物だ。冬はやはり蛍光灯より、昔ながらの電球である。寒々しくなくていい。ＣＤラジカセで『魔笛』の続きをかけた。三人の少年コーラスがうたっている。

「着実に、忍耐強く、賢くあれ。そうして、男らしく困難を克服せよ」

モーツァルトの少年たちは、三原学院高等部の三人組より、はるかに賢そうだった。わけのわからないマッドドッグが相手でも、着実に、忍耐強く、賢く立ちまわるといい。どんなに粗暴な狂犬にも、どこかに弱点があるはずなのだ。

オペラが終わっても、なにもいい考えは浮かばなかった。誰かにきいてみよう。おれは携帯を開くと、この街のガキの王にかけた。とりつぎがでて、やつに代わる。電話のむこうで、気圧が急にさがったようだ。寒冷前線の予感。

「なんの用だ」

どうやら王の機嫌はよくなかったらしい。冗談はやめて、すぐ用件にはいった。

「タカシ、おまえ、丸岡ってやつ、知ってるか。何年かまえに三原学院を退学になったらしいけど」

うんざりした冷たい声。まあ無理もない。タカシには池袋中のガキのちいさなもめごとが無数にもちこまれるのだ。やつは絶対権力であるばかりでなく、ガキの司法も兼ねている。

「知ってる。マッドドッグ。あいつはまだ人を殺してない人殺しで、まだ火をつけていない放火犯だ。そのうちどちらかをやらかすだろう。両方いっしょにやるかもしれない」

おれの知らないところで、すでに指名手配をくらってるやつのようだった。

「あいつになにか弱点はないのか」

「わからないな。一番いいのは牙の届く場所に近づかないことだ」

暗い気分になった。ちいさな声で王様にいう。

「軽く嚙まれていたら、どうすればいい」

タカシは電話のむこうで低く笑った。

「マコトとマッドドッグか。いい組みあわせじゃないか。お手なみ拝見というところだな。まあ、最後にどうしようもなくなったら、おれが力を貸してやる」

カチンときた。おれたちはいつだって、フィフティフィフティだったはずだ。これで、今回はGボーイズの手を借りる案はなしになる。

「いいや、こっちでなんとかする」

通話を切った。おれはさっきのオペラの歌詞を胸に刻んだ。着実に、忍耐強く、賢くあれ。それにしても、あんなやつの首にどうやって、鈴をつけるのか。何時間考えても、おれにはいいアイディアが浮かびそうもなかった。アイディアがでないときには、でないとはっきりわかるものだ。

おれは意味もなく、つぎの番号を選んだ。関東賛和会羽沢組系氷高組のホープ、元いじめられっ子のサル。サルは今やむこうの世界の中間管理職だ。

「おれ、マコト」

「なんだ、のみの誘いか」

サルはヤクザの同僚ではなく、なぜか堅気のおれと遊びたがる。気もちはわからなくはないが、このところやつとのみにいってはいなかった。

「いや。おまえ、丸岡ってやつ、知ってる」

「またトラブルか。マコトって、掃除機みたいにもめごとを吸い寄せるな。丸岡なら、京極会系の四次団体かどこかに籍をおいたことがあったようだ」

「それで」

「続かなかった。いくら外れ者ばかりの世界でも、守らなきゃならない決めごとがいくつかある。やつにはそれができなかった」

おれはマッドドッグの夢見るような目を思いだした。あそこにはヤクザの世界のルールなど映るはずもない。自分の命も人の命も同じように軽いのだろう。おれはやつを殺さず、傷もつけずに、この街から放りだしたかった。なにも考えずにおれはいった。

「なあ、サル、池袋で一番凶暴なやつって、どこにいるんだろう」

サルは電話のむこうで、あきれて鼻を鳴らした。

「おまえ、誰に電話してるんだ。うちの業界にごっそりいるに決まってる」

「ふーん、やっぱり、そうだよな」

そのときだった。おれの頭のなかに稲妻のようなフラッシュアイディアがひらめいた。

「狂犬は狂犬の檻のなかに追いこめばいい」

「マコト、なにいってんだ、おまえ」

おれはまたあとでかけ直すといって、通話を切った。


先ほど別れたばかりのショウタに電話した。まだやつは自宅にもどっていないようだった。間の抜けた声の背後に、街の音がきこえる。どこかの駅まえの雑踏。ほこりっぽい声が返ってくる。

「なんだよ」

「よう、おれ、マコト」

相手によって急に声を変えるのは、ガキの悪い癖。

「ああ、マコトさん、すいません」

「丸岡って、酒のむか」

「いくらでものみますよ。クスリとちゃんぽんだから、あっというまにできあがります」

いいニュースだった。

「じゃあ、やつって女好きかな」

ショウタのにやけた顔が想像できそうだった。

「女嫌いな男っていないっしょ」

おれはこういう単純な男が嫌いじゃない。

「おまえもたまに丸岡とのみにいったりするんだよな」

「ええ、そうですけど、それがなにか関係あるんですか」

おれのなかで絵が描きあがりつつあった。

「また電話する」

さて、どうするかな。マッドドッグをはめるうまそうな餌のついた罠をつくるのだ。

着実に、忍耐強く、賢くあれ。

二日後、おれは丸岡に電話した。おれがかけたのは昼すぎだったけれど、やつは起き抜けの声で返事をする。ふざけた男。おれは朝から青果市場にいき、店をあけて、昼めしをすませたあとなのだ。こういう男が、ミノルのあがりの六割をよこせという。おれはやつを恐れる振りをした。

「あれからいろいろ丸岡さんのことをききました。このまえの話のとおりでいいですから、手打ちをしてもらえませんか。ミノルは初等部だから無理だけど、一席設けますから」

よだれを垂らしそうな声がもどってきた。

「わかった。じゃあ、今夜がいいな」

話の早い狂犬だった。へりくだっていう。

「ショウタさんたちにも声をかけておいてください。人数は五人で予約しておきます。西口におでんのうまい居酒屋があるんです」

「ちぇ、おでんかよ。しけてるな」

ほんとにうまい店なのだ。おれはむっとしたが、下手にでた。

「ほかにもいい肴がありますよ。丸岡さんが好きなら、そのあとで女のいる店にいって、のみ直してもいいし」

なんだか悪質なキャッチセールスにでもなった気分だった。カモを落とすのはこんなに簡単なものだろうか。丸岡は寝ぼけた声でいった。

「そのうちあのガキをはずして、おれたちだけで仕事をまわそう。ショウタたちは間抜けだが、おまえは話がわかるし、細かなつなぎもうまい。おまえをうちのグループのナンバー2にしてやるよ。明日からは、あの三人好きにつかっていいから」

ジャングルで生き残るには、凶暴なだけではダメなのだ。丸岡はサルやタカシと違って、ストリートの知恵をまるでもっていなかった。おれは哀れなマッドドッグにいった。

「夜八時にマルイのまえで、待ちあわせにしましょう。今夜はいくらのんでもらってもいいですから」

丸岡の声はまた夢見る調子になった。

「じゃあ、また薬局のはしごしなくちゃな」

いくらでもクスリをのむといいだろう。それはやつが池袋でのむ最後の市販薬になるはずだ。


西口五差路の角にマルイはある。正面の壁には、巨大な二次元のクリスマスツリーが飾られ、電飾がビルの屋上近くまで伸びていた。『ホワイトクリスマス』が流れる十二月の夜の街を、おしゃれなカップルが腕を組んで歩いていく。こういう歳末もあるのに、おれが待っている相手は、ヤクザにもなれなかった狂犬と名門校の落ちこぼれの半端な不良が三人だった。きっとおれは前世でとんでもなく悪いことをしたのだろう。

白い石の柱にもたれていると、ウエストゲートパークのほうから、やつらがやってきた。軽く頭をさげて挨拶する。

「おはようございます。今夜はよろしくお願いします」

丸岡はすでに兄貴気取りだった。

「おう」

黒革のライダースジャケットを素肌に着ている。拒食症のマーロン・ブランドのようだ。ショウタはおれと目をあわせない。おれは先頭に立って横断歩道をわたり、池袋三丁目ののみ屋街にはいっていった。このあたりは風俗店とのみ屋とラブホテルが三分の一ずつ、なかよく街を分けている。通りの角々に怪しげな黒服と中国娘が立ち、道ゆく男たちに声をかけていた。

「カラオケいかがですか」

割引チケットを目のまえにつきだされた。日に焼けた胸をはだけた十代の黒服だ。

「もう決まってるから、悪いな」

狭い道のうえの夜空をさらに狭くして、のみ屋ばかりはいった雑居ビルの壁面から毒々しい看板が空につきでている。おれは古民家を思わせるどっしりした造りの居酒屋の戸を引いた。

「こっちです。丸岡さん、どうぞ」

頭をさげて、やつを店にいれる。あとからくる三人にはウインクをしてやった。おれのとっておきの居酒屋で、ここの店のメニューはなんでもうまいのだ。丸岡が予定よりも早く暴れずにいてくれることを願って、おれも二階に続くすすけた階段をのぼった。

刺身の盛りあわせ（寒ブリとホタテ）、分厚く切ったタン塩（生ネギがどっさり）、ハマグリの浜焼き（こげた醤油のかおり）、おでん（とろとろトマトと自家製ごぼう巻き）。さすがにどの皿も最高だった。ビールのあとは、純米吟醸に切り替える。

丸岡は最初からハイだった。刺身をくっては、クスリをのみ、杯を空ける。こんなにやせているのに、なぜこれほどくえるのかというほど異常な食欲だった。最初はおどおどしていたショウタたちも、しだいにほぐれてきた。あれこれと丸岡の三原学院時代の武勇伝を話し始める。丸岡は高一の四月に三年の番長を病院送りにして、いきなり学院を締めたという。まあ、あそこにはタカシや山井みたいな世界チャンピオンクラスはいないから、それほど自慢にもならないが。

おれもしっかりとくった。ただめしだからな。この店の払いは、当然ミノルのところにまわるのだ。考えてみたら高校生三人といい大人がふたり、小学生のゴチになるんだから、おかしな話。あとに続く仕事のために、酒は控えておいた。酔わなくても、おれは十分楽しかった。なにせ、池袋の厄介者をひとりはめるのだ。この街の美化のためにも役立つ仕事だ。

おれはにこやかに丸岡を眺めながら、ゆっくりとやつの酔いの深さを探っていた。

居酒屋をでるころには、もう十一時をまわっていた。丸岡は妙に暑がって、革のライダースを脱ぎたがったが、なんとか勘弁してもらった。裸の男といっしょだなんて、おれがあの店に顔をだしづらくなるからな。金を払って外にでると、丸岡たちにふたりの女がからんでいた。

ひとりはわき腹までスリットが切れあがった朱色のチャイナドレス。やせすぎているが足のきれいな女だった。もうひとりは黒いジップアップドレス。ジッパーはマイクロミニのドレスうえからしたへ貫通している。つくりもののような乳房の頂点までジッパーが開いて、谷間は鉄塔でも建てられそうな深さだった。

女たちは割引チケットを配り、うちの店にきてと身体をくねらせている。なかなかの見物だ。すでにできあがっている丸岡は、鼻の穴をいっぱいに広げていた。チャイナドレスが丸岡の裸の胸をなであげた。

「いやーん、この人ったら激しそう」

暖簾《のれん》をくぐってきたおれに、丸岡のほうから声をかけてきた。

「マコト、こいつらの店にいこうぜ。ちゃんとふたりがついてくれるんだよな。変なババアなんかつけたら、おれ店壊しちゃうから」

黒いジッパーが胸を揺らした。

「怖いけどー、なんかーワイルド」

酔っ払って女と話しているとき、おれも丸岡のようになっているのだろうか。おれは西口の風俗街で、海よりも深く反省した。


女たちが案内してくれたのは、灯を消したパチスロ店の二階にあるクラブだった。内装は黒一色、どこかにブラックライトがつけてあるらしく、おしぼりだけが蛍光色の青で光っている。客はおれたちひと組だけだ。

さっきの女たちがついて、おれの知らないウイスキーで水割りをつくってくれた。チャイナドレスがいう。

「いただいてもいいかしら。あと、おひとりさま一品ずつ、なにかおつまみを選んでね」

暗さに目が慣れてくるとソファがかなりくたびれていることも、カーペットに無数の染みがあることも見えてくる。おれはなめるように水割りをのみながら、タイミングを計っていた。丸岡は絶好調のようだった。半円形のソファ席の中央に座り、両側にチャイナと黒ジッパーをはべらせている。片手はチャイナの足に、もう一方は黒ジッパーの肩にまわしている。

高校生三人組はこうした店がめずらしいようだった。最初はあちこち泳いでいた視線は、最後にチャイナのふとももと黒ジッパーの胸に落ち着く。女たちは自分たちの売りがなにか、よくわかっているのだ。

三十分ほどして、おれの携帯が鳴った。サルの声が耳元できこえる。

「どうだ、丸ちゃんはうまくはめたか」

おれは送話口をてのひらで隠して、丸岡にいった。

「すみません。ちょっと外で話してきます。長くなるといけないから、金おいていきますんで」

おれは財布から万札を何枚か抜いて、テーブルの端においた。店をでるとき、妙に胸の厚いウエイター兼用心棒がおれに会釈した。おれも軽く頭をさげる。丸岡が猛獣なら、この店のウエイターは猛獣つかいなのだ。しかも電話一本で無尽蔵に夜の街から湧きだしてくる。

薄っぺらな階段をおりていくと、夜中の路上でサルが何人かの若衆といっしょにおれを待っていた。仕立てのいいダークスーツを着ている。サイズはせいぜい中学生版だけれど。

「おまえも悪知恵働くな。うちの系列のぼったくりバーなんて、よく思いついたよ」

おれはやつにも軽く頭をさげた。

「サル、ありがとな。今夜はたっぷり絞りとってやってくれ」

サルは冷たく笑っていった。

「おまえ、この店知らないのか。したのパチスロと同じで、無制限なんだ。座っただけでキャッシュカードが空になるまで絞る店なんだぞ。払えないなら、追っ手をかける。色っぽいアリ地獄みたいなもんだ」

うちの店は西一番街で果物屋をやっている。その手のぼったくりバーにも、フルーツを納めている店が何軒かあった。ひと晩でこの街にいられなくなるほどの借金をさせるには、バクチかぼったくりしかない。それで、氷高組のつてをあたったという訳。

今ごろ、丸岡はいい調子で女の胸をもみまくっていることだろう。高校生の三人は心の底からびびるだろうが、追っ手はかからない。有り金は巻きあげられるが、最初から金をもってくるなといってある。サルがぼったくりバーの暗い窓を見あげていった。

「おれたちはきちんとしたマティーニがのめる店にいこう」

おまえたちはここでいいとサルがいうと、煙のように若衆が夜の街に消えた。おれは中学の同級生といっしょにウエストゲートパークにむかって歩きだした。マルイの先に最近元ボクサーがだしたシックなバーがあるのだ。

もちろん足のきれいな女も、胸のでかい女もいない店である。


ここからは後日サルからきいた話。

丸岡はさんざん酔ったあとで金を請求され、怒り狂ったらしい。だいぶ店を壊したが、その分も何倍にもなってやつの支払いにのせられた。もちろん払い切れるはずもなく、銀行のカードが空っぽになったとたんに、やつは姿をくらませた。マッドドッグといえども、個人である。日替わりで組織からしつこい催促を受けて、かなり煮詰まったようだった。ショウタはやつのクスリの使用量が倍になったと笑っていた。

おれの携帯がいきなり鳴ったのは、そろそろ丸岡の顔を忘れかけた日のことだった。

店先で積み木のように愛媛ミカンを皿に積んでいたおれの耳元で、やつのこえがする。

「おい、おまえとあのガキに預けといた金をよこせ」

追いこみをかけられている割には、威勢のいい言葉だった。なかなかしぶといマッドドッグだ。おれはあれですんなりあきらめて、ほとぼりが冷めるまでは池袋にもどってこないと踏んだのだが。

「どうすればいい」

「池袋大橋のガードしたわかるな。そこにあるだけの金をもってこい。午後五時だ」

「わかった」

まったくしつこい男。しかも自分では指一本動かしていないくせにミノルの金を自分のものだという。おれが深々とため息をつくと、おふくろがいった。

「なんだい暗い顔して。うちの店でそんなため息つくんじゃないよ」

まったくである。商売は明るく、軽く、こつこつと。おれは無理やり笑顔をつくり、羽沢組のホープに電話した。

翌日はあいにくの曇り空。今にも雨が降りだしそうな真冬の空というのは、見ていてとにかく気がめいるものだ。おれとサル、それにやつのしたにいる若衆がふたり。計四人でＪＲの線路をくぐる陸橋のしたに立った。おれの両手はうしろにまわっていた。近所のＳＭショップで買ったおもちゃの手錠がかけられているのだ。サルは余裕の笑顔でいう。

「おまえにそんな趣味があったなんて初耳だ」

マゾヒストのトラブルシューターなんて、おれの名がけがれる。

「うるさい。時間はまだか」

ダークスーツのサルはスイス製の金時計を確認した。おれの給料の六カ月分はする高級品。

「あと五分だ」

サルがこたえると同時に陸橋をおりてくる足音がした。おれとサルはすぐに演技モードにはいる。丸岡が頬の削げ落ちた顔をのぞかせたのは、踊り場のわきにある手すりである。おれは叫んだ。

「丸岡さん、助けてください」

おれが上半身を振ってもがくと、うしろに立つ若衆が手錠を絞りあげた。冗談ではなく金属の輪が手首にくいこんでくる。

「黙ってろ」

サルはぴしゃりというと、ほとんどテイクバックをせずに鋭いパンチを飛ばした。熱湯でもかけられたように顔の左側が熱くなる。おれはダメ押しで叫んだ。

「丸岡さん、こいつらなんとかしてください」

市販薬ジャンキーの霞がかかった頭でも、ようやく事態がのみこめたようだった。やつは手すりから顔を引っこめると全力で階段をのぼり始めた。サルは小声で手下にいう。

「しばらくは本気で追え。だが、決して追いつくなよ」

マッドドッグを追う猟犬のようにガキがふたり飛びだしていった。おれは不機嫌にサルにいう。

「早く手錠の鍵貸せよ」

やつのにやにや笑いはとまらなかった。

「中学からマコトのことは知ってるが、なぐったのは初めてだな。それも金をもらって一発かますんだから、こっちはたまらない」

腹のなかがむかむかしたが、できるだけ顔にださずにいった。

「しかたがないだろ。おれのほうにも追っ手がかかってると丸岡に思わせなくちゃならないんだから」

ゆるんだサルの表情に変化はなかった。

「まあ、いいさ。このまえおまえがマッドドッグといったおでん屋にいこうぜ。おれのおごりだ。機嫌を直せ」

おれは手錠をはずして、ＪＲのフェンスにぶらさげた。サルといっしょに西口ののみ屋街をめざす。振り返ると緑の金網に銀の手錠が、忘れられた約束のように宙ぶらりんにとまっていた。

あの三人組は、何日かしてうちの果物屋にやってきた。丸岡の代わりに、おれに兄貴分になってほしいという。もちろん、おれは断った。おれは弟子も弟分も取らない主義なのだ。Gボーイズの知りあいを紹介したので、やつらは名門校に籍をおく数すくないストリートギャングになったようだ。

そして、最後に優秀なビジネスマンにして、三原学院初等部五年のミノルのこと。やつの話はちょっと長くなるから、ここでいったんフェイドアウト。

今度こそ、ほんとうに池袋の街から丸岡が消えて数日後、おれはミノルとウエストゲートパークで待ちあわせした。あたたかな日ざしのあたるパイプベンチで横に並んで話す。半ズボンの足に金属が冷たいらしく、ミノルはふとももの下に手をいれていた。

「うまくやってくれて、ありがとう、マコトさん。ぼくはあの人すごく怖かったよ」

おれだって市販薬とグラニュー糖ジャンキーにはぞっとした。

「ああ、いかれたやつだったな」

空はゆっくりと暮れていく。雲の切れ間から、オレンジ色の光りが漏れて、あちこちのビルの角をつるりと滑らかにしていた。ミノルは真剣な声でいう。

「でも、ああいう人を呼び寄せてしまったのは、ぼくがやってることに問題があったんだと思う」

そうだなとおれはいった。ほかになにがいえるのだ。ミノルは盗撮ＲＯＭを売りさばく五年生だ。おれはようやく昔きいた質問の続きをした。

「十五万って、どんな意味があるんだ」

おれのギャラも、三人組への口どめ料も同じ値段だった。ミノルはさばさばといった。

「うちの家の住宅ローン。毎月十五万なんだ。おとうさんの会社は一度潰れて、再建した。なんとか会社に残れたけど、給料が半分になったんだ。それでうちのおかあさんが怒って、いつもローンが厳しい、十五万はきついっていってる」

おれはメガネのチビの横顔を見た。ぼんやりと笑ってやつはいう。

「それなら、ぼくがお金をかせいであげようと思って。でも、うちの親はぼくがつくったお金は受け取らないんだ。いつか役に立つときがくるから、それまでとっておきなさいって」

おれは冬の円形広場を見た。やせたハトに、ホームレスに、女子高生。そこにあるものはすべて平等のはずなのに、女子高生だけがビジネスになる不思議。

「でも、宅配便もくるし、郵便為替もくるだろ。あの盗撮ＲＯＭのこと、どうやって親に隠してるんだ」

ミノルは黒いランドセルから、一枚のＣＤ－ＲＯＭを取りだした。白いレーベル面には「恋愛シミュレーション攻略法①」とプリントされている。

「ぼくはゲームも好きなんだ。中身はゲームの攻略ネタだっていってある。メーカーに隠れてこっそりつくったから、秘密にしてねって」

なるほど優秀な十歳だった。おれなんかより遥かに世のなかのことを知っている。未来のビル・ゲイツになるかもしれない。

「でも、お金をつくるのは、もう別な方法にするよ。今日はこれから、うちに帰って全部話すつもりなんだ。マコトさん、最後の仕事頼んでもいいかな」

おれはうなずいた。今のうちに、このガキに恩を売っておいたほうが、おれの老後が安心だからな。

「いいよ。なんでもいえよ」

「これから家に帰るから、ぼくを見ていてくれないかな。ひとりだと途中でダメになるかもしれない。正直になる勇気がだせなくなるかもしれない。あのさ、うちのなかにははいってこなくていいよ。でも、家の外から、ずっとぼくを見ていてほしいんだ」

そういえば、丸岡はガードレールに座っているだけで、ミノルを震えあがらせた。どうやらおれには逆に遠くから見守るだけで、こいつの勇気を奮い起こさせる力があるらしい。これが人徳ってやつだ。着実に、忍耐強く、賢くあれ。そうすれば、いつかあんたもゴールにたどりつける。


ミノルの家は雑司が谷鬼子母神の先にある分譲住宅地の一角だった。周囲は緑と寺の多い静かな街だ。きれいに区画整理された敷地には、クローンのようにどこが違うのかわからない白い家がすき間なく並んでいた。どれも冬の夕日を浴びて、濡れたようなオレンジ色だった。

「じゃあ、いってくる。全部話したら、あとで二階の窓から手を振るから」

おれはランドセルの肩ストラップをぎゅっとにぎって、戦場にむかうように白い家に帰るミノルの背中を見つめていた。勇気のあるところを見せるんだ、ちいさなブラザー。

二車線の狭い通りのむかいにあるガードレールに座って、夕日の色が深まるのをじっと見つめていた。オレンジ色の家が真紅に一瞬燃えあがるまでの二十五分間。おれはただ待った。待つことは苦にならなかった。冬の風が吹いても寒くはなかった。空にだけ明るさが残り、家々の屋根が黒く沈むころ、ミノルの白い家の二階に明かりがついた。

カーテンが開いて、やつのてのひらがしっかりと振られている。ミノルは泣き笑いの顔でおれを見た。おれはほほえんでガードレールから立ちあがった。店番をおふくろと代わるために池袋に帰る。夕空に見つけたちいさな星。そいつをずっと目の端で追いながら。

そんな気分ならクリスマスまえの街をひとりで歩くのも、そう悪くはないものだ。

野獣とリユニオン

街を歩いていて、野獣と出会ったらどうする?

ケダモノはなにくわぬ顔をして、春の通りを歩いているだろう。やつは確かにあのときの男。だが記憶のなかにあるように凶悪でも残酷そうでもない。あたりまえの若いガキに見えるのだ。

ふたサイズはおおきなジーンズとスタジャンのBボーイファッションで、生ぬるい風を受け、やつはひとり歩いてくる。春は散歩には最高の季節。スニーカーのゴム底だって、うれしげに跳ねている。池袋みたいな汚れた街のあちこちにも、気のいいソメイヨシノは花びらを散らしているのだ。檻をでてようやく自由になり、満ちたりたやつの目には、あんたは絶対はいらない。足を踏んだほうは忘れるが、踏まれたほうは忘れないってことわざがあるよな。あれと同じ状況だ。

あんたの心のなかに、復讐を求める怒りとあのときの苦痛と恐怖がわきあがる。アドレナリンがサプリメントにして売れそうなくらい大量に放出されて、あんたはこぶしをにぎり締める。いきなりなぐりかかったら、あるいはとおりすぎざま後頭部を狙ったら、野獣はどんな顔をするだろうか。抵抗することもなく、一方的にやられているのだろうか。あるいは、あのときのようにまたケダモノにもどり、やつは牙をむくのか。

けれどあんたは善良な一市民だから、そんなムチャをすることはない。見ず知らずの他人の顔をして、とおりすぎるだけだ。なんといっても、やつは罪をつぐなって、こっちの世界に帰ってきたのである。あんたは住み慣れたこの街で、これから先ずっと野獣とともに生きていかなきゃならないのだ。やつとは今後何度も顔をあわせることだろう。それでもがまんするのだ。それが市民としてのただしい生きかたである。怒りを腹の底に沈めたまま、あんたは普段の生活にもどるだろう。

だが、あんたにないしょであんたのことを愛する誰かが復讐しようとしたら、どうする？　ケダモノはどうしても許せない。あれくらいでは、とてもつぐなったなんていえない。もっともっと厳しい罰、棒と鞭《むち》が必要だ。なにせやつは人間ではなく、あんたから大切なものを奪ったただの野獣なのだから。


おれたちの世界では、つねに罪と罰のバランスが量られている。どんな犯罪と刑罰の関係についても、ある人間は公平だといい、別な誰かは軽すぎるという。罪に対するただしい重さの罰なんて、法律のなか以外には、実はどこにも存在しないのだ。

今回は、池袋のいかしたカフェで起きた私的な裁判のお話。裁判官は、なにを隠そうこのおれだ。まあ、誰も裁くことのないダルダルの裁判官なんだけど、お願いだから責めないでくれ。だっておれは刑法なんて一ページも読んでない。

こいつは犯罪の被害者も加害者も同じ街で生きていかなきゃならないとき、おれたちになにができるかという切実な物語でもある。これから飛躍的に増えていく事態だ。逃げることはできない。おれのことを甘いというやつもいるだろう。だが、賭けてもいい。同じ立場になったら、十中八九あんたはだって同じことをすると思う。だって、おれは目撃したのだ。被害者と加害者が握手する場面。おたがいに目を見て笑う、とっておきの場面をね。

そして、あんたは野獣を抱き締める。

だって、やつはただのケダモノじゃなく、人間だったんだからな。

まあ、そいつに気づかないうちは、おれたち自身がまだ動物だってこと。

長い冬がようやく終わった。

それだけで、おれは西一番街のすすけたカラータイルの舗道にひざまずき、全世界に感謝をさげたくなる。地球よ、公転してくれて、ありがとう。おれはほんと寒いのと、暗いのが嫌いなのだ。春の風がまたすごいよな。肌のきれいな女の子の二の腕の内側のつるつるやわらかな感触。あいつが指先だけでなく、全身をなでてすぎるのだ。

おれにとって、春一番のたのしみは、夜の散歩である。あのエロティックな風のなか、ゆくあてのない散歩をする。なんでもない住宅街の角を曲がると、いきなり貧弱なサクラの木が目に飛びこんでくる。子どもの腕ほどしかない幹から精いっぱい枝を伸ばして、やせた木は夜空に白い花を浮きあがらせる。もちろん、おれは立ちどまって花を見たりはしない。歩く速度を変えずに、心のなかに一瞬の美しさを収めるだけだ。出会っては別れ、また出会う。人だって花だって、立ちどまるよりある速度のなかでふれあうほうが、きっといいのだ。

春の池袋は雰囲気がゆるんで、どこか田舎町のようだ。この街にはひどく先端的な都会の部分と、土と草のにおいがする田舎が同居していて、春にはカントリー派が前面にでてくる。まあ、おれみたいな都心の土着民には、東京のなかの田舎ってポジションはなかなか悪くないものだ。代官山アドレスや六本木ヒルズなんかじゃ、くつろげないからな。おれは最近、代官山を歩いたけれど、あそこにはカレースタンドやラーメン屋がぜんぜんなかった。ショックだ。あの街の住人はなにをくって生きてるんだろうか。

コラムの締切から解放されて、うちの果物屋で店番をするおれは、頭も身体もたるみ切っていた。新しい音楽をきく気にもなれず、春の定番を店先のラジカセにのせておく。この時期は毎年のようにベートーヴェンの四番をBGMにしているのだ。

全九曲のシンフォニーのなかで、一番偉大ではないけれど、一番可憐な曲。それに、おれが一番好きな曲でもある。第一楽章冒頭のアダージョをきくと、いつもゆったりとうねる春の海を思いだす。

おれは店先に、イチゴのパックを並べていた。とよのか、あきひめ、女峰にアイベリー。毎年のように銘柄は増えて、セミプロのおれでも覚えきれないくらい。ちなみに三月くらいまでの低温期は、酸味がおさえられて甘味が強く、イチゴのうまい季節である。家で待つ子どものおみやげに、真島フルーツのイチゴをワンパック、ぜひどうぞ。真夜中までキャバクラで遊んだいい罪ほろぼしにもなるだろう。

平台のまえにしゃがみこみ、小ぶりの段ボールを積んでいるおれの視界に、白いブーツが映った。くるぶしのところに同色の革のリボンがついたかわいいデザイン。まあ、おれも男だから、ひざから太ももへと自然に視線はあがっていく。ちょっと太目の足はぜんぜんおれの許容範囲内。タータンチェックのミニスカートはスクールガール風。白いスプリングコートのしたには、ミントグリーンのぴちぴちカーディガン。今年の春のコーディネートとしては、おれ的には百点満点で百二十点だった。だが、二十歳くらいの女は、やけに厳しい表情をしている。真剣。これ以上はない冷たい声。

「真島誠さんですね」

あきひめのパックを手にうなずく。彼女はピンク色のショルダーバッグから、携帯電話を取りだした。じゃらじゃらと鳴るストラップのアクセサリー。開いた液晶画面をおれの顔に突きだす。歯をむきだして笑っているガキの写真。

「この人の足を壊してください」

よく意味がわからなかった。おれの頭のなかはまだ春色だ。

「どちらか片方でいいです。でも、一生杖《つえ》がないと歩けないようにしてほしいんです」

おれはイチゴをおいて立ちあがった。女は意外と小柄だった。したから見ていたせいだろう。

「確かにおれがマコトだけど、あんた、どんな噂をきいたんだ」

白いブーツの女は、ぱちりと音を立てて携帯電話を閉じた。

「ギャングにもつてがあって、悪いやつをこらしめてくれる。すごく強くて、頭が切れる池袋一のトラブルシューターだって」

「もう一度いってくれないか」

女が冗談は許さないという顔をしたので、おれはアプローチを変えた。

「その男とあんたの関係は」

女の目のなかで憎しみが冷たく燃えあがる。目を細くして正面に立つおれをにらんだ。

「こいつはケダモノ。たった三千円のために、うちのお兄ちゃんの足を壊した」

なんだか惚れた腫れたという恋愛のねじれではないようだった。おれは基本的に男女関係とか浮気調査とか、その手の色っぽいトラブルは受けつけないのだ。そんなのは自分の分だけでたくさんだからな。

「わかった。話だけでもきくよ」

おれは階段のうえにむかって叫んだ。

「おふくろ、ちょっと店番代わってくれ」

メスのケモノのようなおふくろの声が二階からふってくる。

「またかい、マコト。ちゃんと四時までには帰ってくるんだよ。見たいテレビがあるんだからね」

韓流は池袋西一番街まで届いているのだった。四時からはおふくろがはまっている韓国ドラマの再放送があるのだ。交通事故と記憶喪失と隠された血縁関係とおおげさな台詞のコンビネーション。男優はじっとカメラを見て笑う。胸焼けがしないのだろうか。おれもストリートの事件なんか追わずに、純愛を追っかけようかな。そうしたら、コラムにももうすこし女性読者が増えるかもしれない。メタルフレームのメガネをかけ、こじゃれたマフラーを巻き、記憶をなくしたうえ、失明して、北極星になるのだ。悪くないかもしれない。

「なあ、あんた、導きの星がほしくないか」

女は無表情のまま振りむいて歩きだした。韓流の台詞は、池袋ではうまくワークしない。

白いコートの背中にいった。

「ところで、そっちの名前は」

「葉山千裕《ちひろ》」

学生にも主婦にも見えなかった。事務職でもなさそうだ。

「どこで働いてるの」

「ＩＳＰのなかにあるブティック」

ＩＳＰは池袋ショッピングパーク。ＪＲの駅にくっついた地下の商店街だ。チヒロはそこで販売員をしているのだろう。女は駅から離れ、ロマンス通りをどんどんすすんでいく。

「どこか目的地があるのか」

一瞬だけ振りむくと、チヒロは怖い顔でいった。

「マコトさんにも現場を見ておいてもらいたくて」

そのあたりは風俗とパブと飲食店がむやみに繁殖している。昼のあいだは静かだが、夜になると夜光虫のように輝きだす街だ。チヒロは常盤通りをわたって、さらに歩いていく。ちょうど繁華街と住宅地の境目だった。角に自動販売機のおいてある信号のないちいさな交差点だ。

「ここがあのケダモノがうちのお兄ちゃんを襲った場所」

おれはその場に立って周囲を見わたした。犯行の名残などかけらもない。小学生が自転車でとおりすぎ、主婦は険《けわ》しい顔でぐずる子どもの手を引いていく。春の白い光りにさらされた住宅地のありふれた交差点。

「なにがあったんだ」

チヒロは遠い目をしていう。

「去年の三月。お兄ちゃんは、西口のイタリアンで働いていたんだ。『イル・ジャルディーノ』っていうパスタのおいしい店。仕事帰りで、夜十一時すぎだった。さっきの携帯のケダモノにいきなりうしろから襲われた。警棒みたいなもので肩をなぐられ、倒れたところを踏みつけられた。右のひざに飛びのるように思い切り。ひざのお皿が割れて、粉々になった」

おれには言葉がなかった。このところ池袋の街も物騒で、とおりすがりの強盗も急増中だ。まあ、そいつは東京中どこでも同じ事態なんだが。

「それで、あのケダモノはお兄ちゃんの財布から現金だけ抜いていってしまった。盗まれたのは三千円だけ。給料日のまえだったの」

生ぬるい春の夜、おれはその場で起きたことを想像してみた。暗い交差点でいきなり暴力がスパークする。野獣が金をもって立ち去るまでにかかる時間はほんの三、四十秒というところ。ひざを砕かれたチヒロの兄は、ほとんど自分の身になにが起きたのか理解できなかっただろう。確かなのは骨にしみるひざの痛みだけ。おれの声は自然にかすれてしまった。

「それでケダモノはどうなった」

つまらなそうにチヒロはいう。

「檻にはいったよ」

「逮捕されたんならよかったじゃないか」

チヒロは伏せていた顔をあげて、おれをにらみつけた。

「ぜんぜんよくないよ。お兄ちゃんが叫んで、まわりにいた人が集まり、取り押えてくれたんだ。捕まえてみると、ケダモノは未成年だった。少年院にはいったのは、七カ月だけ。もう平気な顔して、この街を歩いてる」

「そうか」

チヒロの声が急に高くなった。

「お兄ちゃんは、今でも杖がなければ歩けないのに、あいつは平気な顔でここにいる。あの事件のせいで、長時間は立っていられないから、調理師を続けることができなくなった。お店だって辞めたんだよ。たった三千円のために。あのケダモノ」

痴話げんかでもしていると思ったのだろう。近くに住む年寄りが、おれたちをうさんくさそうな目で見ていた。不思議なのだが、携帯電話を片手にいくらつっ立っていても誰もおかしな顔はしないのに、誰かとふたりで話していると不審に思われるのだ。おれたちの社会はどこか間違った道に曲がっていないだろうか。それともすぐそばにいても、携帯で話したほうが文明的なのか。

「わかった。もうすこし話をきかせてくれ。場所を変えよう」


おれたちが徒歩で移動したのは、西口にある東武デパート。二階のエスカレーターわきにあるタカノフルーツパーラーだ。同じ果物屋でも、おれのうちとは段違い。プラスチックに包まれた店内は、腕のいいデザイナーがつくった冷蔵庫のなかみたい。おれ自身がひとつ五千円の高級フルーツにでもなった気がする。

チヒロはこの店のフレッシュメロンジュースが好きなのだという。おれもつきあった。マスクメロンとほんのわずかにシロップの甘さ。確かにうまいけれど、おれならただのメロンで十分。

「わからないことがひとつある。どうして、あんたにやつが犯人だとわかったんだ。普通、少年審判は公開されてないはずだけど」

「わからないほうがよかったのかな。そっちのほうが苦しまないですんだかもしれない。審判は非公開でも、人の噂はとめられないよね。あのケダモノ、わたしの高校の卒業生だったんだ。それで、誰かが強盗でつかまって少年院にいくって友達にきいて。顔を確かめたのは卒業アルバムだった」

地元の高校の卒業アルバムに並んだ笑顔の写真のなかから、野獣を発見する。うんざりしたのか、それとも興奮したのか。おれの心を読んだように、チヒロはいった。

「これで復讐してやれると思った。自分の夢を捨てなきゃならなかったお兄ちゃんの仇《かたき》が討てる」

おれは甘いメロンジュースをのんだ。どろりと濃い繊維質がのどにねばった。

「それで、おれのところにきた」

「そう。なんでもやってくれるし、ただしいことなら、法律を曲げてもちゃんとけじめをつけてくれる。それに……」

二枚目で女にやさしい。あるいは、見かけによらず、意外なインテリ。

「……あまりお金もかからないって」

やっぱりそうくるか。低料金だけが売りもののトラブルシューター。どこよりも安いってCF流そうかな。

「でも、おれのところにきてよかったな」

チヒロは不思議そうな顔をする。割としもぶくれのタヌキ顔なので、その表情のほうがかわいかった。野獣の足を壊してくれというときよりもね。

「最近は金さえだせばなんでもやってくれるやつが、どこにでも転がってる。ネットで窃盗犯や暴行犯さえ雇える世のなかだからな」

「そうなんだ」

感心したようにチヒロはいう。そんなことは、普通の女の子なら知る必要のないことだ。知らないままでいたほうが、どれだけ幸福かわからない。

「だけど、その手の人間に依頼をするのは、すごく危険なことなんだ。非合法の仕事を頼んだということで、裏の世界の人間に接点ができてしまう。脅されて規定の料金外の金を要求されたり、あんたなら若くてかわいいから、知りあいの店で身体を売れといってくるかもしれない」

スプリングコートの襟元をあわせて、チヒロはおれを見た。疑わしそうな視線。

「おいおい、おれはだいじょうぶだよ」

目だけでなぜと問いかける。女の目はよくしゃべるよな。

「おれの身元はチヒロも知ってる。池袋に住んでるなら、街の評判だってわかってるだろ。おれはこの街が好きだし、ここにいられなくなるような悪いことはしないさ」

ようやく安心したようだった。おれはいった。

「チヒロの兄さんの名前は」

「葉山司」

「そのケダモノの名は」

「音川栄治」

名前だけではどちらが悪役かぜんぜんわからないものだ。おれは手帳を取りだして、メモを始めた。

「やつについてわかっていることをすべて話してくれ」

「去年の年末に長野県にある少年院からでてきた。仕事もアルバイトもせずに、実家に住んでぶらぶらしてるみたい。住所は」

チヒロは豊島清掃事務所のある池袋本町の番地をいった。メモする。顔をあげていった。

「そっちはどこに住んでるんだ」

今度は池袋一丁目の住所が返ってくる。川越街道をはさんだとなり街だった。そこに被害者と加害者が顔をつきあわせて住んでいるのだ。この世界には檻もフェンスもない。すべての野獣は放し飼いである。

「さっきの携帯の写真だけど、どうやって撮ったんだ。やけにきちんと写っていたけど」

「簡単だよ。休みの日に、あの男のあとをつけた。それで池袋の駅まえで声をかけたの。学校の名前をいって、わたしのクラスメートで音川さんのことが好きだった子がいるって。顔写真を撮らしてください。その子に送るから。すごくかわいい子なんだからって」

チヒロは携帯を開いて読みあげた。

「これはケダモノの電話番号ね」

十一桁の数字を書き写す。これだから女は怖い。うかつに女に電話番号を教えるのはやめようと、おれは固く心に誓った。そのすぐあとに、携帯の番号を交換する。いっとくけど、これは仕事だからな。おれのほうに転送された栄治の顔を確かめた。

短く立ちあがった金色の短髪。顔は浅黒く、ごつごつと岩のような印象。目は細く、肌が荒れていた。ひび割れた唇に血をにじませて、やつはぎこちなく笑っている。

野獣は外見ではわからないものだ。

おれはこの男がどんな顔をして、チヒロの兄を襲ったのか想像しようとした。お手あげ。人には自分でさえわからない無数の顔があって、他人にはそのうちのいくつかを知ることさえ絶望的に困難なのだ。

そいつは、おれが何年かストリートのトラブルを扱って、ようやくわかったことのひとつ。まあ、おれの場合、ぜんぜんスキルアップなんてしないんだけどね。

フレッシュメロンジュースもすっかりぬるくなっていた。レジの横には入店を待つ客もいる。最後におれはきいた。

「なあ、チヒロ、ほんとにまだこのエイジって男の足を壊したいのか。そんなことをしたら、そっちまでこのケダモノと同じ位置におりることになるんだぞ。よく考えてこたえてくれ」

チヒロはじっと空になったカクテルグラスをのぞきこんだ。おれはゆっくりと待つ。誰かが真剣に考えている時間をともにすごし、たっぷりと待つ。おれはそんな時間が嫌いではない。みんな、こたえを急ぎすぎなのだ。自分自身にうなずきかけて、チヒロはいった。

「やっぱり、お兄ちゃんの苦しみをあのケダモノにもあたえてやりたい。よくわからないところもあるかな。だけど、ひとつだけは絶対に確か。それはね、マコトさん」

チヒロは目に力を集めて、ななめうえにあるおれの顔にビームを放出する。人の思いを託した強力な光線だ。それは一時間まえには見ず知らずだった心を結ぶほどの力があった。

「このままでは、いけないっていうこと。わたしはなにかできることをしなくちゃいけないし、そうしなければ満足できないだろうって思う。これは兄のためでもあるし、わたし自身の問題でもある。それにね、おおげさにいったら、この世界全体の問題なの。このままで終わるなら、わたしは世界を信じられなくなる。だから……」

おれはＩＳＰの販売ウーマンの言葉に胸を動かされていた。ついいらぬ口をはさんでしまう。

「だから、どうしたい？」

チヒロはすべてを受けいれた静かな声でいった。

「必要なら、あのケダモノの足を壊してほしい」

おれは心のなかでため息をついたが、おしゃれなフルーツパーラーには、すこしも漏らさなかった。


午後四時すこしまえ、うちの果物屋にもどった。ぎりぎりセーフ。おふくろは気が気ではなかったらしい。ものすごい目でおれをにらんで、二階に駆けあがっていった。純愛もいいけれど、そいつをテレビのなかだけでなく、周囲の人間にもあまねく分けあたえてほしいものだ。この世界にはチヒロのいうとおり、愛と正義が不足している。

店の奥においたスツールに腰をのせて、携帯電話を開いた。幼いころからのおれの指導教官。池袋署生活安全課の万年平刑事、吉岡である。やつとは少年課にいたころからの腐れ縁。盆暮れの贈答はしないけれど、おれたちは有益な情報をおたがいに交換しあう仲なのだ。うなるようにやつはいう。

「はい……」

「おれ、マコト」

不機嫌の度あいはさらに深まった。おれのこの刑事への愛情は倒錯しているかもしれない。相手が不機嫌になるほどうれしいのだ。

「なんだ、おまえか。いそがしいから切るぞ」

「ちょっと待ってくれ、一年まえに池袋一丁目の交差点で、十八歳のガキが路上強盗を起こしてる。覚えてるか」

うなり声で、イエスとわかった。吉岡はわかりやすい男だ。手もちの情報をどんどん投げてやる。それが案外、むこうの仕事に役立つこともあるのだ。

「犯人の名は、音川栄治。やつはその場で現行犯逮捕されて、いや補導か、長野の少年院に七カ月放りこまれた」

「長野の少年院って、あそこか、あの○○」

残念だけど、ここは伏字にさせてくれ。だってそのあとの吉岡の言葉を削りたくないからな。

「そうだ」

「そいつはいい修行になったんじゃないか。あそこは厳しいので有名だ。棒と拳骨で性根をたたき直す。少年院というよりガキの板金工場みたいなもんだな。みんなぺちゃんこになってでてくる」

しゃれたことをいう刑事だった。

「で、マコトはなにを知りたい」

「その強盗の詳細と犯人のこと」

携帯のノイズにまぎれても、吉岡の声が真剣になったのがわかった。

「また、なにかトラブルにはまってるのか」

「そんなところかな。おれはできれば、ひとりも傷つけたくはないんだ」

非暴力非営利非色恋。おれのトラブルシューティングのモットーは、吉岡ならよくわかっているはずだった。

「いいだろう。少年課のファイルを見てきてやる。その代わり、あとでそいつの情報をすべて流せよ」

「どうもありがとう、心やさしい刑事さん」

おれが子役のように純真に感謝を伝えようとしたら、吉岡は途中で通話をたたき切ってしまった。

教養のない人間はだから困る。


メモを開いて待っていた二十分後、おれの携帯が鳴った。

「どうだった」

おれは吉岡のがなり声を予想して、携帯を耳から離していたのだが、耳元であふれたのは花のかおりのようなかぐわしい声。

「どうだったって、なんで知っているの、マコトさん」

チヒロだ。おれは二枚目の声をつくった。

「人違いだ。それより、どうした」

「今、ロサ会館の一階にあるゲームセンターにいるの。マコトさんと話したあとで、あいつのうちを見張りにいったら、たまたまでてきたんだ。あとをつけてる最中なんだけど」

なんとも自由気ままな依頼人だった。このあたりが池袋地元っ子の恐ろしさ。

「わかった。今大切な電話を待ってるから、それがすんだらすぐにそっちにむかう。無理はするなよ。むこうはチヒロの顔を覚えてるかもしれない」

「だいじょうぶ。サングラスかけてるから」

やめてくれといいそうになった。薄暗いゲーセンでサングラスなんかかけていたら、逆に目だってしかたない。

「とりあえず、なんかゲームでもやりながら監視するんだぞ」

通話を切った。足が自然に貧乏揺すりをしてしまう。なんだか展開がまったく読めなくなっていた。まあ、おれの場合、いつだっていきあたりばったりなんだけど。


吉岡からの電話にでたときには、おれの焦りは最高潮だった。いきなり叫んでしまう。

「遅い！」

刑事はむっとしていう。

「なんだおまえ、大切な勤務時間を割《さ》いて、別のフロアにある資料保管庫までいってきたんだぞ。すこしは感謝の気もちを見せてみろ」

それはそうだ。いつも一銭にもならない頼みごとばかりである。

「すまない。だが、今若い女がひとりで音川を張ってるんだ」

今度あわてるのは、吉岡のほうだった。

「マコト、また探偵ごっこか。その女はだいじょうぶなのか」

「わからない。情報をくれ。このあと、すぐにむかう」

よしっとうなって、吉岡がメモを読みあげ始めた。

「去年の三月十七日、二十三時十分、池袋一丁目の路上で無職・音川栄治・十八歳が、棒状の凶器で飲食店店員・葉山司・二十一歳の後頭部を殴打した。その後、転倒した葉山の右足を踏みつけている」

棒状の凶器？　チヒロは確か警棒といっていた。

「ちょっと待ってくれ。その凶器って、特殊警棒みたいなやつか」

「いや、違う。家庭用ファックスの用紙には芯があるよな」

「あの茶色の厚紙のやつか」

紙をめくる音がした。戦闘用の警棒と厚紙の筒では、だいぶ印象が変わってくる。吉岡の声は冷静だ。

「そうだ。せっぱつまって、自分の家にあったものをもっていったらしい」

おれは走り書きしながら、質問した。

「なぜ、焦る必要がある」

「音川はな、高校時代の友人から強請《ゆす》られていて、翌日いくらでもいいから金をもっていかなければならなかったと供述している。そうしなければ、たたかれるのは自分の番だ」

いじめ。年を取るごとに、いじめは通常金銭の強要に変化する。

「そいつらはあの事件で、裁かれているのか」

「ああ。少年A、少年B、少年C、少年D。全員初犯で、少年院送りはまぬかれている。強請りなんて、今じゃあどの高校のどのクラスでもありふれてるんだ」

「じゃあ、いじめられっ子だけ、どんな悪ガキでもぺちゃんこになるという少年院に送られたのか」

「そういうことになる」

不公平な話だった。ひざを割られたチヒロの兄と強盗犯の音川、それに直接の原因をつくったＡＢＣＤの四人。罪と罰の関係において、もっとも公平だったのは誰なのだろうか。兄の復讐を誓うチヒロがいう世界のただしさはどこにあるのか。

「わかった。ありがとう」

「なんだ、やけに素直だな、マコト。おまえ、これからその音川ってやつをどうするんだ」

わからないといった。どうすればいいのかまるでわからない。

でも、そんなときは頭で考えてもダメなのだ。無限のシミュレーションをするよりも、実際にひと目でも実物を見たほうがいい。音川栄治はうちの店から、ほんの五十メートルばかり離れたゲーセンにいるはずだった。おれは通話を切り、二階のおふくろに叫んだ。

「もう純愛の時間は終わったろ。ちょっとでてくるから、店番頼む」

返事の雷が落ちてくるまえに、おれはバスケットシューズの底を鳴らして、西一番街の路上に走りでていた。なんといっても、走れるうちが花なのだ。

こんなとき刑事ドラマみたいなかっこいいＢＧＭがつかないかな。

ロサ会館は映画館やカフェやマンガ喫茶やレンタルビデオ屋なんかが、どっさりとはいった雑居ビルだ。築年数が古いので妙に暗くて、なんだかいけない感じの風俗ビルに見えるが、実際は健全なもの。

おれは一分とかからずに、一階のゲーセンに到着した。深呼吸してから、あちこちで電子の炸裂音が響く薄暗いフロアをゆっくりと流していく。おおきなダービーゲームのまわりには、スツールがあわせて十ばかり並んでいた。年寄りと会社員が数人、あいだをおいて座っている。そのなかにおれはやつの顔を見つけた。

血の気のない青い野獣の顔だ。とても路上強盗などをする人間には見えなかった。小柄でやせている。灰色のニットキャップに、28とばかでかい数字が胸にはいったスタジャン、ジーンズはきっと何カ月も洗っていないのだろう。ひざのところが油でも塗ったように光っていた。やつを見ていると、肩をたたかれた。

「あいつがケダモノだよ」

サングラスをかけたチヒロだった。うわ目づかいでおれを見あげる。

「ずいぶん気が弱そうな野獣だな。ここは目立つから、むこうのゲームのところにいこう」

それは対戦型のシューティングゲームだった。超高層ビルを占拠したテロリストにふたりで挑むのだ。武器はシグ・ザウエルのＰ２２０で、九発撃ちつくすとカートリッジを替えなければならなかった。よくできてる。マスクで顔を隠した迷彩服のテロリストは、着弾するとやけに派手に血を飛び散らせ消えていく。おれたちの神経は半分以上、音川のほうにむいているので、テロリストにやられ放題だった。

「こんなんじゃあ、日本の治安は守れないな」

チヒロはスクリーンにむかって、でたらめに銃を撃ちながら叫んだ。

「動いたよ」

一枚のコインも張ることなく、青い顔でミニチュアの競馬場を見おろしていた音川が立ちあがった。ふらりと揺れて、出口のほうにむかう。おれたちはケーブルにつながれたシグ・ザウエルを放りだして、やつのあとを追った。


音川は背を丸め、ポケットに手をいれて、西一番街を歩いていく。少年院送りになった悪ガキの面影はなかった。ウイロードをくぐり、東口にでる。P′パルコのまえの植えこみには、四人の男が座っていた。ファッションは池袋では見慣れたBボーイスタイル。首に巻いた銀の鎖はタンカーでも曳航《えいこう》できそうな太さ。四人はにやにや笑いで音川を迎えた。あきらかにやつがおびえているのがわかる。おれは誰にともなくいう。

「少年ABCD」

チヒロがおかしな顔をした。

「なに、それ」

事件の背後については、なにも知らないらしい。

「おまえの兄さんを襲った事件の陰の主役」

「だって、お兄ちゃんを襲ったのは、あのケダモノひとりでしょう」

「見ろ」

おれは短く叫んだ。ひとりが音川の肩を抱いた。笑いながら奇声をあげて、ふざけている振りをした。音川の腰は引けている。腹への短いフックが三発。音川は腰を折って、タイル張りの階段に座りこむ。

「どういうことなの」

チヒロは混乱した顔でおれを見た。おれは吉岡から得たばかりの情報を流してやる。

「音川はやつらに強請《ゆす》られていた。やつはずっといじめられっ子だったんだ。少年院をでた今も、まだああしていいようにやられている」

「じゃあ、うちのお兄ちゃんは……」

目をいっぱいに開いて、チヒロは雑踏のなかの五人を見た。でかい魚がちいさな魚をのむ。それは永遠に繰り返されるこの世界の掟《おきて》なのかもしれない。

「そうだ。音川はやつらにわたす金が必要になって、あんたの兄さんを襲った。捕まったやつは少年院に送られ、残りの四人はちょいと説教をくらって終わりだ。さあ、どうする」

四人のうちのひとりがしゃがみこんだ音川の耳元に顔を寄せた。なにかささやいている。音川の顔色がさらに青くなった。ほとんど血の気がなくなっている。

「また、金の無心かな。なあ、チヒロ、それでもやつの足を壊すのか」

チヒロは黙って十数メートル先の光景を眺めている。おれの気もちは複雑だった。確かに棒でなぐれば犬はいうことをきくようになるだろう。だが、そんなふうにしつけられた犬は、別などこかで人を噛むようになる。おれたちの住むこの街で、そんなことが永遠に繰り返されていいのだろうか。

こいつは二百円で楽しめる爽快なシューティングゲームではない。最初はちいさな一歩かもしれないが、それはおおげさにいえば、おれたちの未来を決める選択なのだ。チヒロはかすれた声でいう。

「わからなくなった。でも、なにもしないわけにはいかない。理不尽なことをされて犯人さえ憎めないというなら、わたしはなにをすればいいの」

おれにだって解答などなかった。だが、それでも音川の足を壊すというよりは、半歩前進しているのではないだろうか。

「おれだってわからない。いっしょに考えてみよう」

四人組はふざけあいながら、P′パルコのまえを離れた。音川はしばらく腹を押さえて、階段に座りこんでいる。尻尾を巻いた負け犬のようだった。

おれとチヒロは再会を約束して、その場を離れた。

それからの数日間、おれは音川を尾行した。

根気はいるが、こいつは簡単な仕事。住所もわかっている。やつが住むこの街はおれのホームグラウンド。てのひらのようにどんな路地だって知ってる。しかも、やつの生活パターンがほぼ一定なのだ。やつは無職のようだが、規則ただしい毎日を送っていた。

午前十一時くらいに早めの昼飯をくって、やつは街にでる（夕食の時間に帰るまでなにもくわないのだ）。金はないので、ずっと歩き。池袋の街をただぶらぶらと流していくだけだ。コンビニで就職誌を立ち読みし、ゲーセンで誰かがゲームをするのを眺め、パルコや西武のなかをあてもなくうろつく。サンシャインシティのバルコニーで座りこみ、アムラックスでトヨタの新車にさわり、東急ハンズでパーティグッズなんかをひやかす。

なんだかおれの十代後半のようだった。金もなく、やることもなく、ただ日々に押し流されるように生きていたころ。バカな話だが、おれはこの哀れなケダモノに感情移入してしまったくらいである。

そのまま、なんとかその場でステイしろ。むこう側に落ちるんじゃない。

けれど、おれにもまるでいいアイディアが浮かばなかった。音川をなんとか野獣から人にもどし、あの四人組から切り離す。しかも、チヒロとその兄の不公平感をただしてやる方法。ウルトラCだ。くそっ、おれは裁判の神さまじゃない。

夕方、店番にもどるとベートーヴェンの四番をきく。もちろん、こたえなどひとつも浮かばないが、その音楽が薄汚れた果物屋の店先で流れているあいだは、不思議なことに時間がきちんと流れている感じがするのだった。

尾行を終えた春の夜、おれは自分の部屋からチヒロに電話した。窓は開け放してある。西一番街のネオンサインが天井に赤く青く映っていた。

「はい……」

ためらうようなチヒロの声。

「今日もやつを張ったよ」

「お疲れさま」

窓からはいる風は排気ガスくさいが、確かなやわらかさがあった。

「このままじゃあ、事態がぜんぜん動かなくなっちまう。なあ、おれ、チヒロの兄さんにあって話をしてみてもいいかな」

「どうして」

「そっちの気もちはわかったけど、兄さんのほうはまだだ。それにもしおれがチヒロの兄貴なら、自分のことを全部はずして動かれたら、きっと嫌な気分になる」

しばらく返事はなかった。夜の街の音がきこえる。携帯から流れるのか、窓の外の音か、おれにはよくわからなかった。

「いいよ、わたしの友人ということで、マコトさんを今度紹介する。でも、あのケダモノの話は絶対にしちゃダメだよ」

「どうしてだ」

「お兄ちゃん、知らないんだ。音川がこの街に帰ってきてるって。わかったら、なにするかわからないもの。あいつを先に見つけたのがわたしでよかったよ」

「そうか」

言葉がなかった。チヒロは無理に元気をだしていった。

「じゃあさ、今度の土曜日にうちに招待するから、遊びにきてよ。新しいボーイフレンドっていうことにするから」

おれはふざけていった。

「スーツにネクタイじゃなくていいのか」

「似あわない格好はしないほうがいいんじゃないの。じゃあ」

ばっさりとスーツ姿のおれを切り捨てて、通話が終わった。ネクタイを締めたおれがどんなにいけてるか、チヒロはわからないのだ。想像力のない女。


土曜日の十二時、おれはミッドナイトブルーのスーツに白いシャツで、平和通りの先にあるマンションを訪れた。築二十年を超えた、中古マンションという印象。真っ青なタイルがバルコニーに張ってあったが、一点豪華主義が妙になつかしかった。

三階でエレベーターをおりて、スチールの扉のまえに立つ。シャツの襟元を直し、胸に白いバラの花束（といってもやたら高いので五本だけ）をあげて、チャイムを鳴らす。ばたばたと廊下を駆けてくる音がして、ドアが開いた。

チヒロがジーンズにパーカー姿で立っている。おれのファッションを見て、目を丸くした。こいつは西武のエルメネジルド・ゼニアでオーダーメイドした超高級スーツなのだ。もっとも金を払ったのは、おれじゃないけどね。池袋のというより、ミラノのマコトという印象だ。

「お招きにあずかりまして、ありがとうございます」

チヒロのうしろによく似た顔の男が立った。こいつが兄のツカサなのだろう。

どうぞどうぞといって、おれを部屋にあげてくれる。廊下を奥にむかう途中で、すでにいいにおいがしていた。ツカサは確かに足を引きずっていた。右足のつま先が外側に開くようになるのだ。チヒロがおれのうしろで陽気にいった。

「マコトさんがくるっていったら、お兄ちゃんたら、もう三時間もキッチンにこもってるんだよ」

ニンニクとオリーブオイルのにおい。昼飯はくわずにこいといわれたおれの胃が鳴った。

「さあ、どうぞ」

カントリー調のダイニングセットに席を取った。室内は落ちついているが、妙に淋しい。ツカサは料理の準備をしに、キッチンに消えた。おれはちいさな声でいった。

「ほかにご両親とかはいないの」

チヒロはあたりまえのように返事をした。

「うちの親は、わたしが十一歳のときに交通事故でなくなったんだ。ふたりでちゃんと暮らせるようになったのは、この三年くらいかな」

「そうか、変なこときいて、ごめんな」

「うちのお兄ちゃんが料理好きになったのは、わたしにおいしい食事をさせたかったからなんだ。わたし、料理がぜんぜんダメだったから」

そのとき白いエプロンをしたツカサが、大皿をもってやってきた。

「なにひそひそ話してるのかな。さあ、マコトくんもたべて」

両親のいない兄妹と父親のいないおれ。三人の豪華な昼食が始まった。


ツカサがつくった前菜の盛りあわせは、ほぼプロ級。白ワインを開けるやつの白いシャツの短い襟はきざに立っていた。

「これはそんなに高いワインじゃないけど、フルーティでなかなかいいんだ。ランゲ・アルネイスの九九年」

おれのワイングラスに注ぎ、テイスティングを待つ。冷や汗をかいてしまった。おれはわずかな知識を総動員してこたえた。

「ほんとだ。果物の香りがしますね。このあと味はなにかな、野草みたいな苦味がすこし」

ツカサは合格だという笑顔を見せた。

「そう、それがこのワインの特徴なんだよ。すごくナチュラルなんだ。さあ、たべよう」

ひと抱えもある皿には、四種のアンティパストが大盛りになっている。

「イタリアンなんて上品な料理じゃないんだ。マコトくんは若いんだから、どんどんかきこんでくれ」

それからツカサが解説してくれた。ズッキーニのオーブン焼きに、アーティチョークとプチトマトのチーズ和え、生ハムと干し柿のサラダ、スズキのカルパッチョにつけるのはアンチョビとルッコラソースだという。チヒロの兄の言葉が終わるころには、おれはひとりで大皿の半分を征服していた。

「こんな食欲を見せられると腕が鳴るなあ。いつもチヒロだけだから。ちょっとパスタを用意してくる」

ツカサは足をひきずって、キッチンにむかった。おれはやつにきこえるようにチヒロにいった。

「お兄さんて、ほんとうに料理うまいなあ」

チヒロの顔が曇った。

「でも、もう店をだす夢はなくなったの」

「なぜ」

「調理師って立ち仕事でしょう。うちのお兄ちゃんは、あの事件のせいで三時間以上連続して立っていることはできないんだ。ひざのお皿は粉々に割れて、いまでもチタンのワイヤーでつなげてある」

おれは焦げ目のついたズッキーニを口に放りこんだ。絶妙な焼き加減。口のなかに残る塩味が悲しかった。チヒロが復讐したくなるのも無理はない。イタリアンの店をだすのは、兄だけの夢ではなかったのだろう。チヒロも懸命に貯金をしていたはずだ。

おれの脳裏に、腹をなぐられてしゃがみこむ音川の顔が浮かんだ。

なぜ、おれたちの世界では不幸な者同士が、おたがいの夢を壊しあうのだろうか。


ツカサが用意したのは、フレッシュバジルとハマグリのパスタだった。メインディッシュは子羊の骨つきローストだ。おれはちいさな肋骨についた最後の肉まで歯でせせって、食事を終えた。すでに満腹感はK点を越えている。

マシンでいれたエスプレッソをのみながら、食後の会話が始まった。おれはまっすぐに切りこんだ。

「足のこと、チヒロさんからききました。ひどいことをするやつがいるもんですね」

ツカサの表情が曇った。それまでは親代わりで妹のボーイフレンドを迎えた理想的な兄の役を演じていたのかもしれない。

「そうだな。おかげで、店を辞めなきゃならなくなった。医者には痛みは一生取れないだろうといわれてる」

チヒロは軽く酔った顔で、兄とおれを交互に見ていた。

「もしその男に会ったら、ツカサさんならどうしますか」

ツカサはデミタスカップの底に残った泥水のようなコーヒーをのぞきこんだ。しばらく返事がない。

「わからない。最初のころは、刑務所送りになってもいいから、刺し殺してやろうと思っていた。でも、そんなことをしたら、社会的には自殺するのと同じだから」

わからないのはおれも同じだった。チヒロがいう。

「わたしはやっぱりくやしいよ。人の一生の夢を奪っても、すぐ少年院から帰ってこられるなんて、絶対におかしい」

そのときだった。ツカサがぽつりといったのだ。

「直接あって、目と目を見て話したら、すこしは気分が変わるかもしれない」

チヒロとおれの返事はほぼ同時。

「どうして」

「ぼくたちはよく犯罪者のことを、あんなのは人間じゃないといういいかたをするね。もちろん、どうしようもないケダモノがいるのは確かだけど、みんながそうだとは限らない。ぼくを襲った相手が、理解不可能なケダモノでなく人間だとわかれば、憎しみの気もちが変わるような気がするんだ」

そこでツカサはエスプレッソの最後のひと口を流しこんだ。

「この底にたまった砂糖が案外うまいな。ぼくが甘いのかもしれないけど、相手を人間じゃないものにして、恐れたり憎んだりし続けるのは、きっと自分の心のためによくないと思う。シェフにはなれなくなったけど、きっとぼくにはほかにもできることがある。憎しみの場所にいつまでも立っていたくない。まだあいつが憎いけど、それを越えていきたい」

おれは立派な人間というのがどんなものか、そのときに教えられたのだと思う。人間が野獣に対するとき、どんな態度がもっとも人間的なのか。憎しみを返すために棒でたたくか。目を見て話をするか。実はそれが、あんた自身をケダモノと人間に分ける細くかすかな線なのだ。おれはツカサの目を見ていった。

「わかりました。おれにできることなら、なんでも手伝いますから」

チヒロから電話があったのは、週が変わった火曜日の夜十時すぎだった。その時間ではまだおれは店番をしている。それどころか、もうすぐかきいれ時なのだ。酔っ払いの財布のひもはゆるい。

「マコトさん」

最初から悲鳴のような声だった。夜風が携帯のむこうで鳴った。

「どこからかけてるんだ」

「うちから。うちのバルコニーから。お兄ちゃんの様子がおかしくなった」

あきひめをふたパックほしいという酔っ払いに、ちょっと待つようにいった。やつはぶつぶつ口のなかで文句をいっている。あの日のツカサの様子からは、おかしくなるなんて想像もできなかった。やつは心底立派だったのだ。

「どんなふうに」

「帰ってきてから、ずっと包丁を研いでるの。うちにあるのを全部並べて、ぶつぶついいながら。わたし、キッチンの外できいたんだ。やつがいた、やつがいた、やつがいた」

おれのほうまで悲鳴になりそうだった。

「音川に会ったのか」

「確かめてないけど、たぶんそうだと思う」

どんなに立派でも、人の心は揺れるものだ。ああして憎しみを越えたいといってたツカサも音川の実物を見て、気もちを抑えられなくなったのかもしれない。

「じゃあ、もう時間がないな」

「どうするつもり、マコトさん」

「このまえ、兄さんがいってたな」

「直接目を見て話しあうっていうの。そんなの不可能だよ」

不可能かどうかは、やってみるまでわからなかった。

「明日、動いてみる。音川に接触する」

「でも、どうやってお兄ちゃんに会わせるの。むこうは罪を償ってるんだよ。無理に会わせることなんてできないじゃない」

「いいや、おれに考えがある」

通話を切った。おれはたぶん凶悪な顔をしていたのだろう。酔っ払いはイチゴのパックと千円札を、ひどく低姿勢でおれにさしだした。


水曜日の十一時、おれは音川の住むアパートのまえに立った。やつはいつもの汚れたジーンズ。気の早いソメイヨシノが咲き始めた街を、背を丸め歩いていく。平和通りを常盤通りに右折して、劇場通りにでる。そこからは西口五差路の交差点をすぎ、新緑のウエストゲートパークにむかった。やつは肩を落として、円形広場のベンチに腰かけた。

冬のあいだ縮こまっていたハトが餌を求めて足元にやってくる。おれは近くの自動販売機であたたかな缶コーヒーを買って、やつの座るベンチにむかった。おれがまえに立ってもやつは顔をあげなかった。となりに腰をおろし、缶コーヒーをおいてやる。おれは正面をむいたままいった。

「あんた、音川栄治だよな。おれは真島誠」

おれの名前をきいて、顔色をわずかに変えた。こんなガキにまで、知られているのだろうか。おれは池袋の地域限定アイドルなのかもしれない。音川はおれとコーヒーを交互に見た。

「のんでくれよ。ひとりで二本はのめないから」

やつは汚れた爪でプルトップをあげ、ひと口すすった。日本の缶コーヒーの甘さは格別だよな。確か角砂糖六個分。

「おれは、ある人に頼まれて、あんたのことをずっと張っていた。あんたが高校時代の悪友に脅されてるのも見たよ。P′パルコのまえだ」

音川は身体を硬くしていた。

「やつらは前みたいに金をもってこいといってるのか」

びくりと全身を震わせて、初めて音川が口を開いた。

「そうだけど、もうどうしようもない。約束は今日だから」

細くかすれた声。生きてる感じのしないただの音だった。おれは力づけるようにいう。

「やつらとの腐れ縁を、今日で終わりにしないか。どうせ、金なんてないんだろ」

やつの黒ずんだ顔が輝いた。

「だけど、どうやって……」

おれはパーカーのポケットから青いバンダナをだした。音川のジーンズのひざに放ってやる。

「おれが電話を一本かければ、おまえはGボーイズのメンバーになる。この街に住んでるガキなら、誰だってGボーイズを脅そうとは思わないだろ」

おれはあの少年ABCについても、調べをすすめていた。ただのチンピラ。裏に組織はないし、さして強力な絆《きずな》があるとも思えなかった。音川は自由へのパスポートでも見つけたように、両手に青いバンダナをのせている。

「だが、そいつをやるまえに、あんたにおれの依頼人と会ってもらいたい。それが嫌なら、Gボーイズの話もなしだ。どうだ、やる気はあるか。いっておくが、こいつは決して簡単なことじゃないぞ」

やつの目のなかで、波のように感情が揺れていた。突然あらわれた救世主への疑問。だが、あの三人に今日会うのなら、選択肢は残されていないはずだった。やつは弱々しくうなずいた。おれは携帯を抜きながらいう。

「はっきりと返事をしてくれ」

「誰だかわからないけど、その人に会ってみる。おれを助けてくれ」

安心するようにやつに笑いかけ、最初の番号を選んだ。池袋のストリートの王様、安藤崇。やつにはすでに話をとおしてあった。春でも溶けない山頂の雪。タカシの声にはあれくらいの冷たさとまぶしさが同居している。

「どうなった」

「契約成立だ。万が一のために、人をふたりよこしてくれ。おれはウエストゲートパークにいる」

やつはなにがおかしいのか、くすくすと笑った。

「場所ならわかってる。ステージそばのベンチだろ。ここからよく見える。今からふたり腕利きをだす。それにおれもちょっとのぞきにいく」

タカシがでてくるなんて、子どものケンカに最高裁の判事をつかうようなものだ。あわてていった。

「なにもおまえが顔だすことないだろ。話が面倒になる」

そのとき円形広場の反対側に携帯電話を耳にあてるタカシの姿が見えた。真っ白な革のブルゾンに、イタリア軍の迷彩軍パン。両側には黒ずくめで、青いバンダナだけ額にまいた男がふたり。氷のような声がいう。

「今回の話をおまえがどんなふうに裁くのか見ておきたい。おれも池袋のガキの裁判はしょっちゅうだ。参考になるかもしれない」

おれはあきらめて、ボディガードを引き連れ円形広場を越えてくる王様を待った。


タカシがまえに立つと、音川は自然に直立不動になった。おれのときとは反応が段違い。まあ、やつの噂は恐ろしいものが多いからしかたない。タカシはじっとやつを見て、まったく感情をおもてにださなかった。

「こいつが音川か」

そうだといった。

「マコトから話はきいた。おまえをたった今、Gボーイズのメンバーに迎える。もしおまえを脅すやつがいるなら、おれの名をだせ。そいつはGボーイズ全員の敵だ」

タカシは黙った。音川は感激で口もきけずにいる。王様は冷たくいった。

「わかったら、返事をしろ」

「は、はいっ」

音川は直立不動のまま声を張った。足元にひざまずき、タカシの編みあげのコンバットブーツにキスでもしかねない勢い。おれは携帯を抜いて、二番目の番号にかけた。これからむかうとチヒロにいって、すぐに切る。タカシにいう。

「いっとくけど、おれは絶対おまえの裁判の参考になんか、なんないからな。なに考えてんだ」

王は無関心にいう。

「さて、マコトの腕の見せどころだ。その店に案内してくれ」


カフェの名前は「ソーラー」。太陽の恵みだ。オーナーはまだ若い女性で、ストリート雑誌のコラムの仕事で何度かつかい、仲よくなった。店はウエストゲートパークからはほんの二百メートルくらいの西池袋三丁目にある。

タカシとボディガードふたり、それにおれの四人が、音川を護送するように囲んで移動した。ソーラーは西池袋公園から細い道をはさんで建つログハウスだ。扉も窓も木製で、まだ木の香りがする。

おれがドアを開けると、ひっつめ髪のオーナーが笑顔になった。一階には数人の客がいる。ほとんどは若い女だった。

「いらっしゃい、マコトさん。もう二階でお待ちよ」

「すみません、わがままいっちゃって。人数分のホットコーヒーをください。もしかしたら、すこしおおきな声がするかもしれないけど、だいじょうぶですから」

おれたちはカフェの奥についた階段をあがった。二階は夜だけつかっているバーカウンターのついた個室なのだ。今回はおれたちだけの貸切。重い木製のガラス戸を開いた。正面にはおおきな窓。公園の新緑のなかに、サクラの花がつつましく咲いている。部屋の中央のテーブルには、チヒロとツカサのふたりが座っていた。おれは踊り場にむかっていう。

「ちょっと待ってくれ」

おれは個室に顔をだした。おかしな顔をしているツカサが、おれにいった。

「今日はいったいどうなってるんだ。チヒロもなにもいわないし、いきなり会わせたい人がいるなんて」

もう隠しておく必要はないだろう。おれはツカサの明るい目を見た。

「いつかご馳走になったとき、あんたはいっていたよな。目と目を見て、きちんと話をしたら、相手のことを憎むだけじゃなくなるかもしれない。おれはチヒロに音川栄治を襲撃するように頼まれていた。だが、新しいけが人をだすより、あんたの言葉に賭けてみたくなったんだ。まわりはおれたちで固める。だから、思う存分やつの目を見て話をするといい」

おれは階段に声をかけた。

「きてくれ」

音川が最初にログキャビンの一室にはいってきた。かすかに震えているようだ。ツカサを見ても、相手が誰だかわからないようだ。おれはいった。

「あの人の正面の席に座ってくれ。おまえがなぐりつけ、ひざを砕き、金を奪った被害者だ」

おれの言葉をきいた瞬間から、やつはそわそわと落ち着かなくなった。視線は自分のつま先だけ見ている。這うような速度で室内にすすみ、ツカサの正面に腰かけた。おれはじれったくなっていった。

「どうした、エイジ。おまえが襲った人をちゃんと見ろ。この場がGボーイズにはいるための試験なんだ。なんでもいい、おまえの心にあることを見せてみろ。おまえがやったことは……」

ツカサが手をあげて、おれをとめた。静かな声には爆発しそうな怒りがこもっている。

「どうして、ぼくを襲った。あの金はなんのために必要だったんだ。なぐられて倒れているぼくのひざをなぜ踏みつけた。おまえのおかげで、こっちは夢だった調理師の仕事も辞めたんだぞ」

音川は助けを求めるように、おれを見た。つぎにタカシ、そしてボディガードのふたり。誰も助けてくれないとわかると、ようやく口を開いた。

「すみません。誰でもよかったんです。ぼくは中学時代からずっと同じメンツにいじめられていて、あのつぎの日が集金日だった。せめて五千円くらいもっていかないと、外からわからないところをなぐられる。怖かったんです。ごめんなさい」

音川はまっすぐにツカサの顔を見ることができないようだった。おれは窓の外に目をやった。緑は人間たちのいさかいに関係なく風に揺れている。もうおれが背中を押す必要はないようだった。ツカサの声がおおきくなった。

「ふざけるな。自分がかわいいから、人を襲ったんだろ。今度は他人のせいにするのか」

音川の目は無垢材のテーブルのうえをさまよった。木目のなかにこたえでも探すように。

「いじめられていたのは、ほんとうです。うちは母親が十歳のときに死んで、それからずっと父親とふたりきりでした。小学校五年生のときに、いじめが始まったんです」

音川の声は消えいりそうだった。おれはそっという。

「どんなふうにいわれたんだ」

初めて音川が目をあげた。おれを見てから、ツカサを見る。目が赤くなっているのがわかった。

「いつも同じ格好をしてる。汚れたシャツを着たくさいやつ……そういわれていました」

カフェの二階の個室は静まり返った。だが、チヒロは勇敢だった。

「それがどうしたの。うちなんか、もっとひどかったよ。両親が事故で死んだのは、わたしが十一歳のとき。それから、あちこち親戚のあいだをたらいまわしだった」

チヒロも泣いている。

「あんたになにがわかるの。わたしはあんたと同じ小学校五年生で、転校ばかりしていた。どの学校にいっても、親がいないことなんか、すぐにばれちゃうんだ。でも、わたしは負けなかったよ。なんでだか、わかる」

チヒロはテーブルのうえで両方のこぶしを、白くなるほどにぎっていた。

「毎週日曜日には、お兄ちゃんに会えて、それでいつも簡単な料理をつくってくれたからだよ。目玉焼きやソーセージ炒めやインスタントラーメン。それで十分だった。いつかふたりでお金をためて、お店をやろう。どんなに悲しんでいる人がきても、きっと笑顔で帰っていくようなお店をつくろう。それがわたしたち兄妹の夢だったんだ。それをあんたが奪った」

途中でがまんできなくなったようだった。ツカサが鼻をすすっている。音川はチヒロがいったことの意味がよくわからないようだった。おれはなるべく感情の混ざらない声でいった。

「エイジ、おまえがひざをふんだせいで、ツカサはいまだに杖をつかなきゃ歩けない。長時間立っていることもできない。勤めていたレストランは辞職したんだ」

おれは目をあげた。おおきな窓のわきにタカシがもたれて、無関心に外を見ている。新緑を背にした白い革のブルゾンが妙にきれいだった。音川はテーブルに立てかけられた金属の杖に目をやる。初めて自分が相手にあたえたダメージを理解したようだった。

ただ重傷といわれただけでは、ほんとうの傷はわからないのだ。なにかを芯から理解するには、おれたちにはストーリーが必要なのだ。ふたりだけで生きてきた幼い兄妹の夢。そいつが一瞬で奪われる。音川は自分の右ひざに目を落としていた。その足が一年まえになにをしたのか。今度はやつの全身が震えだす。

「知らなかった。ぼくは人に暴力を振るったのは、あれが初めてだったんです。ツカサさんをなぐってから、反撃されるだろうと怖くなって、夢中で踏んでしまった。全治三カ月と少年院できいて、怖くなったのを覚えてます。ごめんなさい。いつか、ちゃんと働いたら、すこしずつでも償いはしますから」

音川の身体は小刻みに震え続けている。チヒロはそれでも追い詰める手を休めなかった。

「嘘つき。わたしはあんたの生活を知ってる。少年院をでてから、毎日ぶらぶらしてるだけ、働く気なんかないし、ゲーセンにいりびたってるじゃないか。あんたなんか人間のクズだ」

「違います。そんなのじゃない」

頭をさげ続けていた音川が、初めて反論した。だが、チヒロにむいた視線はすぐにテーブルに落ちてしまう。

「ぼくの経歴には傷がついてしまった。もうダメだっていう気もちがあって、ほかの人と話せないんです。少年院のなかよりも、外にでて人と話すほうがずっとむずかしい。こちらの世界にでてきたら、なにもかも高い壁になっていて、それが越えられない」

今度はツカサが静かにいった。

「だったら、どうする。そのままつぎの犯罪を重ねて、成人用の刑務所にでもいくのか」

音川はぼろぼろと涙を落とし泣きだした。

「だからわからないんです。これからどうしたらいいか。どこにいっても、ぼくはいじめられるし、長野の少年院はひどいところだった。あそこは監視が厳しいだけでなくて、おたがい同士がみんな敵なんです。ずっと誰もがいじめあっている」

おれは吉岡の言葉を思いだしていた。悪ガキが放りこまれてぺちゃんこになってでてくる模範的な少年院の話だ。そのときタカシが氷のような声でいった。

「誰もおまえに同情はしない。おまえの罪は消えない。ツカサの足も二度と元にもどることはない。それがよくわかったか」

「はい」

さすがにキングのひと言は強力だった。音川は吠えるように返事をする。

「それをすべて受けいれたうえで、おまえに今からなにができるのか、考えろ。時間はやる。おれたちはいつまでも、おまえのこたえを待つ」

さすがに池袋のガキの王だった。それからの時間は、不思議と濃密な流れになった。蜂蜜がしたたり落ちるような二十五分間。そのあいだエイジは目からは涙を、額と首筋には汗を流しながら、椅子のうえで姿勢をただして考え続けた。

だが、その部屋で最初に口を開いたのはツカサである。これ以上はないほどかすかな声で、被害者はいう。

「いつもきみのことを想像していた。黒い影だったり、野獣のような怒りの顔だったり、ときには映画で観たばかりの悪役だったりした。こんなにひどいことをするのは、きっと人間ではないと信じていた。でも、さっききみがこの部屋にはいってきたときにわかった。きみも、ぼくと同じ人間だった。同じように恐れているものがあり、くやしい思いをしている。こうなりたいという夢があって、自分のことを心の底から理解してもらいたいと願っている。きみはケダモノでなく、人間だった」

途中で音川はたまらなくなったようだった。吠えるように声をあげて泣きだした。ツカサがジャケットの内ポケットに手をいれた。

「実はこんなことだろうと思って、今日はこんなものをもってきた」

それはにぎりが木製のペティナイフだった。野菜や果物の細工につかうやつだ。よく研いであるようだ。花曇りの空のように光っている。ツカサは穏やかな目をおれにむける。

「ぼくもこの街に住んでるから、有名なトラブルシューターの名前くらいきいたことはある。料理の腕をほめてもらってうれしかったよ、マコトくん」

テーブルの中央にナイフをおいて、ツカサは泣いている音川を見た。

「きみの罪は消えることはないだろう。でも、ぼくはきみという人間を許すことにする」

チヒロがとなりで叫んでいた。

「ほんとうにそれでいいの、お兄ちゃん」

ツカサは強靭《きょうじん》な笑みを見せて、テーブルに手をさしだした。地上最強なんて格闘技の中継できくと、おれは今でも笑ってしまう。あんなものはまだまだ底が浅い。おれは地上最強の笑顔を見たことがあるんだからな。ツカサは笑みをふくんだ声でいった。

「いいんだ。いつまでも、きみを憎んでいたら、ぼくの明日が始まらない。握手だ」

音川は鼻をすすりながら、手を伸ばした。涙をこらえるのにぐったり疲れたおれを、ガキの王が笑って見ている。またいいからかいのネタにされるだろう。だが、おれは別にそんなことは気にしなかった。

だってつぎの瞬間には、床にひざをつき音川が頭をさげて、ツカサの手を取ったのだ。それはこの春、おれが目撃した一番見事な場面だった。窓の外では新緑とサクラの花が揺れている。引き裂かれた心だってつながることもある。

春がまためぐってくるように、おれたちの心には自分自身の傷を修復しようという自然の治癒力があるはずなのだ。そうでなければ、心なんて不便なものを、誰が一生もって歩くというのだろうか。


ここからあとは、おまけのお話。

散々泣きはらしたぼろぼろの顔で、あのあと音川はカフェからP'パルコにむかった。タカシとボディガードふたりに警護されてね。おれはそこまではつきあわなかったから、あの四人組の顔が氷のように青くなるところは見なかった。

音川によるとそれは胸のすく瞬間だったという。短い人生のほぼ三分の一を、やつらに強請られていたのだから、それも当然だろう。タカシは音川を指さしていったそうだ。

「ここにいる音川栄治は、今日からGボーイズの一員になった。おまえたちが近づくこと、声をかけることを禁止する」

見事な行政処分である。震えあがって、やつらはうなずいた。池袋ではGボーイズの威光は絶対なのだ。この街にいる限り、やつらが音川に近づくことは決してないだろう。


あのカフェの午後から十日ばかりたった週末、おれはまたチヒロの家へ呼ばれた。今度はボーイフレンドのまねごとは必要ない。花束もスーツもなし。チヒロはバラがないのを残念がっていたが、おれのスーツ姿をもう一度見たいとはまったくいわなかった。

ツカサの心づくしのフルコースを堪能してから、お茶の時間になった。するとやつはいう。

「自分の店は無理でも、いいアイディアが浮かんだんだ」

この男の考えることだ。きっとどこか魅力的なのは間違いないだろう。そう思っているとやつは、テーブルにクロッキー帳を広げる。そこには中型のバスがラフに描かれていた。

「こいつが、チヒロとぼくのパスタバスなんだ。オフィス街のランチアワーに店をだす。メニューは前菜とパスタだけ。これなら三時間しか立っていられなくても、なんとかなりそうだ」

そのバスの横には、どこか見たことのある男の絵が描かれていた。ツカサでもおれでもない。短く立ちあがった金色の短髪。音川だった。

「こいつは……」

照れたようにツカサはいう。

「あれから何度も話しあった。実はね、ぼくはよくあの事件の悪夢を見てうなされていたんだ。でも、あのカフェでエイジくんに会ってから、すっぱりと夢を見なくなった。彼とは、あれから一度のみにいった。泣きながら、ぼくの足の代わりをしたいといっていた」

チヒロはあきれたようにいった。

「やめといたほうがいいっていったんだけど、うちのお兄ちゃん、頑固なの」

おれは未来のシェフの目を見た。そいつは最初にあったときと同じ明るい目だ。

「エイジくんもこの池袋の人間だ。だったら、逃げずに話をしたほうがいい。マコトくんにもほんとに感謝してる」

おれはクロッキー帳に色鉛筆で描かれた七色のバスを見た。なんだかガーリックとオリーブオイルの飛び切りのにおいがしてきそうだ。

「こんな店が走ってきたら、絶対おれならひいきにするよ。あんたのパスタは最高だ」

それよりもっといいのは、ツカサのあのときの笑顔だとはいわなかった。音川を野獣ではなく人間だといって握手したときの顔である。黙っている代わりに、おれはリビングのテーブルに手をさしだした。あのカフェの午後のように、ツカサはやわらかな手でおれの手をにぎり返してくる。

男の手をにぎって感動するなんて、おれもいかれたものだ。

きっとこれは春のせいなのだろう。生物は季節にだけは逆らえないようにつくられている。それは満開のサクラも、花の枝を飛びまわる小鳥たちも、このおれやあんただってきっと変わらないはずだ。

駅前無認可ガーデン

他人の欲望が見えたら、どんなに楽だろうと思わないか？

人の心の底にある、そいつの一番ひそかな欲望。その人間をそいつ自身にする誰にもいえない欲望が、たとえば額の小型ディスプレイに映るのだ。液晶のサイズは携帯電話なみの二インチくらいでいいだろう。高精細で性能のいいパネルなら、それで十分。

池袋西武六階の高級品フロア。乳白色のイタリア産大理石の通路。腕を組んで歩いているのは、五十すぎの身なりのいいおやじと若いキャバクラ嬢だ。おやじの額のディスプレイには、はちきれそうなキャバ嬢のＦカップ。ブラは紫のレース。輸入ものだ。谷間の深さは頭からダイブしたら溺れるくらい。キャバ嬢の額には、ピンクゴールドの華奢《きやしや》な腕時計がバックライトできらめいている。ベゼルに細かなダイヤモンドを埋めこんだカルティエの新作だ。

高級ブランドのカウンターで接客するすまし顔の美人は、額に湯気のあがる天丼を表示している。八階のレストラン街にある天一の上天丼だ。そろそろ閉店間際で腹が減っているのだろう。三人は相手がなにを心の底で求めているのか、おたがいに理解している。それがあたりまえの世界なら、きっとジュエリーウォッチも、でかい胸も、丼ものも別にはずかしくはないだろう。どれも、実にまっとうな欲望なのだ。おやじは金のカードで腕時計の代金を支払い、女の額のディスプレイはその瞬間エルメスのクロコダイルのバーキンに表示を変える。コメディ映画の一シーンとしても、悪くない話だ。

だが、それほどすべてがあからさまな世界で、あんたが禁じられた欲望をもっていたらどうする？　額のディスプレイに映すだけで犯罪とされるような欲望だ。誰かの手足がちぎられていく場面や、誰かが刺され、撃たれ、絞められる場面の数々。あるいは五歳の少年の桃のように産毛を浮かべた丸い尻や、アニメのキャラクターがプリントされた幼児用下着の盗んだコレクションなんか。衝撃の禁断映像である。それでもあんたは平気な顔で池袋の街を歩けるだろうか。自分がロリコンであるとはっきり額に表示しながら。

この梅雨から夏にかけて、おれはそんなディスプレイがあればいいのにと真剣に考えていた。まともな格好をした大人たちが、みな札つきの幼児性愛者に見えたのである。だから、今回は幼い男の子と、図体はずっとでかいが、やはり心はまだ幼い男たちのお話。

正直なところ、おれは自分がロリコンでなくて、ほんとによかったと思っている。だって欲望の対象なんて、自分で決めるものではなく、意地の悪い神さまか誰かにダーツでも投げるように決められてしまうものだ。黒いダーツがはずれたら、おれもゲイでハードSで、おまけにスカトロマニアの幼児性愛者になっていた可能性だってある。

欲望の組みあわせは、池袋の梅雨空を埋める雨粒の数と同じ。無限大なのだ。

梅雨も後半にはいったが、おれはいい加減うんざりしていた。強い雨と弱い雨と霧雨の繰り返し。分厚い雲が池袋の空にぴっちりとふたをしている。毎日蒸し暑いうえに、うちの果物屋の商売ものには、どんどんカビが生えていく。とよのかイチゴなど、まだ市場からついたばかりなのに、裏返すとプラパックの全面が真っ白にカビを吹いていたりする。ハウスものは、カビなんかに実に弱いのである。

このところ池袋の街は不景気なだけでなく、平和そのもの。悪漢に襲われて悲鳴をあげる美女も、全財産を奪われてストリートに放りだされる老人もいない。おかげでイケメントラブルシューターにして店番のおれには、出番がまるでなかった。

でも、やっぱり東京っていいよな。これだけたくさん人間がいると、一定の期間に必ずどこかの間抜けがなにかしら事件を起こしてくれるのだ。退屈しのぎにはもってこい。

雨の夜十一時、さすがに池袋駅前でも歩いている人間の数はすくなかった。ネオンサインと信号が、雨の道路にぼんやりと映っているくらい。おれが店を閉めようと、歩道にだしていた段ボールを片づけていると、目のまえに染みひとつない白い革靴が立った。裸足にクロケット&ジョーンズの白い型押しローファー。西一番街には、そんなキザなやつはひとりだけ。おれは顔をあげずにいった。

「電話もなしでいきなりなんて、めずらしいな。タカシ」

「ああ、おれのほうも急に呼びだされてな」

池袋のアンダーグラウンドの王様、安藤崇を呼びつけるなんて、どこの誰だろう。おれは顔をあげて、やつを見た。こっちのほうはおれと違って正真正銘のイケメン。視線を送るだけで、その先にいる若い女がなぎ倒されていく。やつの視線にはチェーンソーのような威力がある。ホワイトジーンズに広く胸が開いた白い麻のカプリシャツ。乳首が透けて見えていた。リゾートに遊びにきた映画スターのようだ。おれは腰に力をいれて、二段重ねのチキータバナナの箱をもちあげた。お忍びのスターと荷物もちの構図だが、これがおれの仕事なのでしかたない。

「おまえをすぐに動かせるなんて、ずいぶん大物がいるんだな。羽沢組か、京極会か」

店の奥にバナナをおいてもどる。やつは涼しい顔でいった。

「プロ関係の呼びだしなら、おれは雨の日はパスする。白いパンツが台なしだからな。うちのチームのほうだ」

おれはカゴに盛られたバナナを一本ちぎって、やつの胸に投げた。ポケットにはいっていた手は稲妻のようにひらめいて、回転するバナナの先をつまんでいる。おれも自分用に一本取った。

「でも、おまえは現キングなんだろ。誰もうえにはいないじゃないか」

タカシはおもしろいものでも見るように、茶色の斑点の浮いたフィリピン産のバナナを見ていた。

「王には系図がある。引退した歴代キングは大切にしておかないとな。悪しき慣習をおれの代でつくれば、いつかおれが退位したあとが心配だ」

おれはバナナの皮をむいて、かぶりついた。みんなよくあんなに青いバナナをくえるものだ。表の皮がしなびたくらいが、バナナはたべごろなのに。もそもそ口を動かしながらいった。

「じゃあ、先代のキングか」

「そうだ。おまえ、育ちがよくないと人からいわれないか」

タカシはバナナをつまんだまま、おれを不思議そうに見つめた。

「みんな、そういいますだ、ご主人さま。お召しあがりになるには、ナイフとフォークが必要でございますだか」

映画で見た南部の奴隷の吹き替え調でいってやる。タカシはにっと笑顔になった。

「おまえがようやく自分の身分を理解できて、おれはうれしいよ。シャッターを閉じたら、いっしょにきてくれ。シンジさんから、緊急の呼びだしだ」

「アイアイサー、わかりましただ。ご主人さま」

無知な肉体労働者のおれは、店を閉め、おふくろに遅くなるとだけいって、タカシと夜の街にでた。なにかトラブルのにおいがする。雨で湿度が百パーセントだろうが、やっぱり夜の街にでるっていいよな。キングといっしょだと、むこうから歩いてくるガキの挨拶がうるさすぎるのが問題だが。


信号待ちのあいだに、先代キングの話をきいた。菅沼真治は五年ほどまえまで、池袋のGボーイズの王様だったという。おれにはぜんぜんなじみのない人間だ。

「おれよりも人望は厚かったかもしれない。シンジさんはこぶしでなく、ここでみんなを引っ張っていくタイプだった。まあ、あのころはGボーイズの人数もすくなかったからな。チームにもアットホームな雰囲気があったんだ」

そういうと自分の胸をさした。タカシの傘には細い銀の柄がついている。ほんもののスターリングシルバーのようだった。おれのは三百円の中国製ビニール傘。

「おまえの傘、いったいいくらするんだ」

「おいおい先代キングの話じゃないのか。これはロンドンの傘屋のハンドメイドだ。ここだけの話一本十五万する。シンジさんは……」

やつの話をさえぎったのは、おれのため息だった。

「最近、どのメンズマガジンを見ても、世のなかいかれてると思ってた。靴が十万に、ジャケット二十万に、腕時計が百万。あんなの誰が買うんだと不思議だったけど、おまえみたいなやつが買うんだな」

おれがあきれていると、雨の歩道でタカシは黒い大振りの雨傘をおれにさしだした。

「おまえのビニールのと交換しよう。シンジさんには金はないだろう。こいつが今回の依頼の手つけだ。受け取れ」

タカシは真剣な顔で、笑ってみせた。

「それにうまいバナナの礼だ。だいたい雨の日に傘に気をつかいながら歩くなんて、おれはバカらしくて嫌なんだ」

それでおれたちは傘を交換した。ビニール傘をさしても、キングはキングのままで、やはり映画スターのように見える。おれはといえば、やはり高価な傘をさした肉体労働者。青信号で歩きだすと、やつはあごの先で示した。

「シンジさんは、あのビルのなかにいる。どれだかあててみな」

おれは駅前ロータリーに建つ古びた雑居ビルを見あげた。


一階は喫茶店、二階はサラ金で、三階にはファッションヘルス、四階はまたサラ金で、五階から七階までは、流行の駅前英会話スクールがはいっていた。最上階の八階は池袋キッズガーデンと窓におおきな文字が張りつけてある。

元Gボーイズの就職先なのだ。おれは二階と四階の電飾看板を読んだ。

「ローンズ富士山かアンビシャス。そうでなけりゃ、あの飛ばしっ娘《こ》とかいうヘルスだな」

「残念。キッズガーデンだ」

「あそこはガキのお受験用の学習塾じゃないのか」

おれはそのビルのまえをよく歩いていたので、名前だけは知っていた。あのフロアは夜遅くまで明かりが消えることはない。

「違う。うえにあがったら、静かにな。あそこは無認可の保育園で、シンジさんが園長なのさ。こい」

そこで、おれたちはどこか小便くさいおんぼろエレベーターにのりこんだ。揺られながら八階まであがり、ホールにおりる。目のまえの壁にはホワイトボードがさがっていた。そこには色紙でつくった花が額のように四方に貼りつけられていた。中央にピンクのマーカーで「ようこそ！池袋ＫＩＤＳ　ＧＡＲＤＥＮ」

右手に見える白っぽい防火扉を開けると、タカシが低い声でいった。

「こんばんは、シンジさん、いますか。やつを連れてきました」

一歩遅れて、なかにはいった。おれはそこで息をのんだ。カーペット敷きの広いフロアには布団が二列に並んで、思いおもいの寝相で幼い子どもたちが眠っている。室内の蛍光灯は明るいままだった。奥からでてきた男が、おれたちを見て会釈した。

「よう、すまないな、タカシ」

渋いヒゲをはやした三十代はじめの男。ジーンズに保育園のロゴのはいった黒いＴシャツ。目のまえでスリッパをそろえてくれた。

「あがってくれ。話はむこうでしよう」


おれたちは布団のあいだを抜けて、窓際に移動した。子どもたちに混ざって、何人か大人の保育士が横になっている。寝つきの悪い子どもの相手でもしているのだろう。時刻はとうに十一時をすぎているが、まだ眠らない幼児もいるのだ。

シンジとタカシとおれは、窓際に伸びる木製のベンチに座った。先代の王がおれにいった。

「そっちが真島誠くんか。噂はいろいろきいてる。すまないな、急に呼んだりして」

つぶらな目でじっとおれを見つめる。無認可保育園の園長というより、どこかのソウルバーのマスターのようだった。なぜ代々のキングというのはイケメンばかりなのだろうか。王位継承権について、おれにはおおいに文句がある。

「退屈してたから、別にいいです。それより、どんなトラブルなんですか」

先代と現キングが顔を見あわせた。タカシは平然という。

「世界は変態で満ちている。この街にも子どもが好きな男が、大腸菌みたいにうようよしてる」

タカシのいうことはいつもただしかった。だが、王のつねで現場の苦悩については、きれいに濾過されていることが多い。

「保育園でも、そのせいで困っていることがあるんですか」

シンジは眉をひそめて、眠っている子どもたちを見た。視線はそのなかでもひときわおおきな男の背中にむけられている。

「うちの話をするまえに、池袋全体の話をしておこう。この数年、あちこちの地域で子どもへの性犯罪が報告されている。私立の小学校のなかには、児童が校門をでると親の携帯電話に自動的に通報をいれる装置をつけたところもある。池袋周辺の児童遊園でも、一日のパトロールは倍の回数になっている」

警官の仕事もたいへんだった。成人男性のなかから幼児性愛者を見つけるのは、割らずにゆで卵と生卵を見分けるようなものだ。おれたちの外見は完全に同じだ。欲望のむかう対象が、恐ろしくかけ離れているだけ。

「池袋のロリコン事情はわかった。でも、そいつとこの保育園の関係がまだわからない」

おれがそういうと、園長は声を低くした。

「あそこにいるうちの見習い保育士。問題はあいつだ。ちょっと頭がスローなところがあるが、根は子ども好きないい男だ」

おれはおかしな顔をしたらしい。シンジはあわてていう。

「そっちの子ども好きじゃない。あいつにロリコンの噂がたってな。ちょっと親たちのあいだに動揺がある。きちんと話はしたが、それでも疑う親もいる」

子どものあいだに混ざっていると、その男はひとりだけ小山のようにおおきかった。シンジと同じ黒いTシャツで、頭は五分刈りである。

「やつの名は糸村哲夫。おれからの依頼というのは、テツオがシロだと証明してもらうことだ。できれば、誰にでもわかるような方法で」

なんだそれと、いいそうになった。タカシがおれを視線でとめた。どこかにいる悪いやつを見つけるなら、まだおれにもできることがある。だが、誰かがロリコンではないと絶対的に証明できる方法などあるのだろうか。しぶしぶいった。

「テツオにそんな話があるなら、なにかきっかけがあったはずだ。心あたりはないんですか」

どうも先代の王さまには話しかけにくかった。今のキングならどんな冗談だってOKなのだが。

「ある。今年の年明けから、池袋西口で子どもの事件が続発してる。西池袋公園、上り屋敷公園、御嶽北公園に池袋本町公園。子どもが誰かにさらわれそうになったり、身体をさわられたりしているんだ。とくに頻発してるのが、マルイの裏にある西池袋公園だ。あそこは今、一日に四回、警官による巡回があるんだが、それでも何週間かに一度、そんなことが起きている」

おれたちの街に住む変態のことを考えた。大人の女が相手をしてくれる風俗なら、価格もサービスも選び放題なのに、通りを一本はさんだ公園で、そいつは子どもの姿だけ目で追っているのだろう。園長は低い声で続けた。

「間の悪いことに、テツオは西池袋公園の近くにあるアパートに住んでいる。やつは週末になるとあの公園でぶらぶらしてるんだ。しかも、子ども好きだから、あの身体でいっしょに遊んだりもする。巡査がテツオを連れてここにきたこともあったよ。身元を証明してほしいって」

「じゃあ、問題は簡単だ。テツオにその公園に近づくなといえばいい。やつがいないのに事件が起こるようなら、犯人はテツオじゃないということになる」

シンジはちいさく首を横に振った。

「ほかのことならなんでもいうことをきくのに、テツオはそれだけは嫌だという。平日はここで子どもの面倒を見て、週末は公園で自由に子どもと遊ぶ。それが生きがいなんだそうだ」

仕事熱心も困ったものだった。シンジは立ちあがると、布団の列にむかった。腹をだして寝ている子どもにはタオルケットをかけてやる。テツオのところにいくと、耳元でなにかささやいた。テツオは音を立てないように、そっと布団から起きだすと、なんの問題もないという笑顔でにこにことおれたちのほうにやってきた。

「お疲れさまです。探偵さんとキングさんですね、園長から話はきいてます」

底抜けの笑顔はまるで変わらなかった。タカシは王の無関心でいう。

「テツオ、おまえは誰とセックスしたいんだ」

五分刈りの額のきわまで赤くして、テツオは口ごもった。

「ぼ、ぼ、ぼくはセックスなんて、しません。し、し、したくないことはないけど、してくれる相手がいません」

素直な男だった。性生活の状況はおれとそう変わらないようだ。同情していった。

「おまえがセックスしたい相手は、子どもじゃないんだよな」

真っ赤な顔のままで、テツオは思い切り首を横に振った。

「ち、ち、違います。大人の人がいいです。大人のきれいな人」

タカシとおれは目を見あわせた。おれは別にそんなにきれいでなくてもいい。その女が自分の言葉で話すのなら、魅力は倍増だ。頭のいい女は、みなセクシーである。タカシは笑っていう。

「おれもおまえと同じだ。ここにいるマコトがおまえの無実を証明してくれる。明日からは、こいつのいうことをきけ。いいな、これはシンジ園長からの業務命令だ。わかったか」

身長一メートル九十センチはある図体で、テツオは思い切りうなずいた。

「わかりました。ぼくはマコトさんのいうことをききます」

シンジがおれたちのところにもどってくる。腕時計を見ていった。

「そろそろお母さんたちがくる。まあ、見学でもしていってくれ。テツオ、仕事だ」

おれも腕のGショックに目をやった。真夜中の十二時十分まえ。ほとんどの子どもたちは、布団のなかで寝ている。この保育園では、これからがラッシュアワーなのだ。

真夜中の保育園見学。いくつになっても、新しい見ものというのはあるものだ。


最初の波は、日づけが変わるのと同時にやってきた。

エレベーターホールには、夜の蝶の行列ができる。池袋駅の周辺にあるキャバクラやクラブから仕事を終えたホステスが集まってくるのだ。玄関先で母親が挨拶をすると、園長のシンジが翌日の申し送り事項を伝える。これが細かなことがたくさんあるのだ。オムツの保充とか、パジャマの洗濯とか、誕生会のお知らせとか。もちろんその日の子どもの様子もひとりひとり話さなければならない。

そのあいだに、テツオが眠っている子どもを抱き起こして、母親のところに連れていく。寝ぼけたままのガキもいれば、急に起こされて不機嫌に泣きだすガキもいる。戦争だ。その日の荷物と子どもをホステスにもどして、ようやくひとり分が終了する。ひとりあたりにかかる時間は、短くて四、五分くらい。あっという間に三十分くらいはたってしまうのだ。明るい蛍光灯のともる駅前の保育園で、こんなことが毎晩繰り返されている。少子化も無理はなかった。子どもを育てるには、恐ろしく手間がかかる。

おれはじっとテツオの行動を観察していた。もしほんとうにやつが子どもに性的関心をもっているなら、欲望のかけらくらいはにおうと思ったのである。だが、やつにはまったくそんな雰囲気はなかった。しかし、六人目の子どものとき、テツオの視線はほんのすこしだけ変わった。火のなかにいれたガラスのように熱をもって丸くなったのだ。相手は三歳児くらいに見える小柄な男の子である。妙に平たい顔をしている。

「広海くん、ジュリさんが迎えにきてくれたよ」

とろけるような声で、五分刈りのテツオは男の子を起こしている。まだ寝ぼけている男の子を軽々と抱きあげると、玄関にむかった。シンジと立ち話をしているのは、黒い肩だしのシフォンのドレスを着た女。ひと言でいえば、コケティッシュな美人だ。裾は海草のように垂れて、引き締まった太ももを隠している。おれがじっと見つめているのに気づいたようだ。タカシがいった。

「ああいうのがタイプなのか、マコト」

「いいや、おれはあまりにホステスっぽいの苦手なんだ」

とはいえ、おれはキャバクラなんて、顔をだしたこともない。金がないだけだけどな。

「あらー、ヒロミちゃん、元気だったー」

母親が酔っ払って、黄色い声をあげていた。きっと客に対するテンションと同じままなのだろう。連れていかれた男の子は、うれしそうに黒いドレスの母親に抱きついた。ちいさな右手が裸の肩に巻きつく。それが十六分音符でも弾くように細かに肩をたたき続けるのだ。おかしな癖。

「いつもありがとね、テツオくん」

夜の女はつま先で伸びて、テツオの頬にキスをした。テツオはまた首のうしろまで赤くなった。

「あれを見ろ」

おれは窓際のベンチで声を低くした。どうもヒロミはほかの子とは様子が違うようだ。タカシがいう。

「保護者からキスのお礼か。悪くない職場だ。テツオの対応はあのガキにだけは別だな」

黙ってうなずいた。教師も保育士も人間だ。子どもに好き嫌いがでるのは、当然のことだとおれは思う。あの女とヒロミは要チェックだった。

それから最後の子どもを母親が迎えにくるまで、おれは保育園に残っていた。十二時四十五分すぎ、真夜中のフロアから子どもの姿は消えた。テツオはほかの女性保育士といっしょに、布団をたたみ、簡単な清掃と翌日の保育の準備をしている。

おれはタカシといっしょにシンジのところにいった。疲れた顔で園長はいう。

「どうだ、これが無認可保育園の夜だ。ストリートでぶらつくよりは、ずっとたいへんだろう」

同感。こんな時間まで子どもを預かるなんて、認可された園ではとてもできないだろう。日づけが変わるまでの延長保育など役所が認めるはずもない。おれは感心していった。

「でも、よくこんなビジネスを考えましたね」

シンジは頭をかいた。

「昔、子もちのホステスとつきあっていてな。安心して子どもを預けられる場所がないってぼやいていたんだ。夕方になると池袋にはホステスが掃いて捨てるほどあらわれる。それなら、ちゃんと仕事になると思ったのさ」

ビジネスチャンスというのはどこに転がっているのか、わからないものだ。

「あのヒロミという男の子は」

シンジはちいさく首を横に振った。

「ちょっと生まれつきの障害があってな。小柄だからわからないだろうが、あれで五歳児だ」

「あの母親のほうは？　だいぶ酔っていたみたいだけど」

「西野ジュリ。常盤通りにあるレッドガーターというキャバクラのナンバー1だ。子どものために夜働く母親のひとり。いつもちょっとのみすぎなのが気になるけどな」

ただ酒が好きなのか、酔わなければやっていられないのか、おれにはわからなかった。この無認可保育園に子どもを預ける母親たちは、みななにかしら問題を抱えているのだろう。それはこの街の底に生きているその他大勢と同じはずだ。

おれとタカシはひと足先に、保育園をでた。タカシは迎えにきたメルセデスのRVにのりこむといった。

「今回はGボーイズがらみの依頼だから、好きなようにうちのチームをつかうといい。まあ、あまり派手にはやるな」

パワーウインドウがなめらかにあがって、やつの白面を隠していく。おれはいつか自分がメルセデスにのる日のことを考えた。きっと一生そんな日はやってこないのかもしれない。別にぜんぜんくやしくはなかったけれど。

それからおれは雑居ビルのまえのガードレールに座り、テツオを待った。雇い主の園長のいないところで、すこし話をしてみたかったのだ。深夜一時をだいぶすぎて、おおきな男はおりてきた。ユニフォームの黒いロゴいりTシャツを、別な白Tシャツに着替えていた。胸には何代目かの仮面ライダーがプリントされている。やつは雨のなか座っているおれに気づくと、疲れた顔で笑った。自分は敵ではないのだという武装解除の笑いである。

「マコトさん、園長さんならまだしばらく帰らないですよ」

「いいや、話があるのはそっちのほうなんだ。ちょっといいかな」

やつは無邪気な顔でうなずいた。ガードレールのまえに立つ。

「ところで、なんで保育園のアルバイトなんてやってるんだ」

外国の俳優のようだった。テツオは考えるときには、思い切り考える表情をする。わかりやすい。

「昔から、子どもが好きだったから。ぼくは頭がよくないから、いつも同じ年の人とは、遊んでもらえなかった。いつも自分よりちいさな子と遊んでいたんです。資格ももってないし、ちゃんとしたところでは雇ってくれないです。でも、キッズガーデンならだいじょうぶだから。シンジ園長も、かわいがってくれるし」

それで無認可保育園か。やつには似あいの仕事なのかもしれない。

「休みの日にはなにをしてるんだ」

「やっぱり池袋にいます。ほかの街はなんだか怖くて」

子どもの事件が頻発するという公園のことをきいてみた。

「西池袋公園とかには、よくいくのかな」

「はいはい、あそこはうちのアパートから一番近い公園です。部屋の窓から、見おろせるくらい。歩いて十秒」

うれしそうにテツオはいった。だが、このおおきな男のなかにある欲望はまるで見えない。こいつを動かしているのは、ほんとうに子どもと遊ぶのが好きだという単純すぎる感情なのだろうか。

「なあ、あのヒロミっていう男の子は、おまえにとって特別なのかな」

テツオの顔はスポットライトでもあたったように明るくなった。

「はい、ヒロミくんはとてもいい子です。これからたいへんだろうと思いますけど。がんばってもらいたいです。ぼくと同じように」

おれは思わず笑ってしまった。

「テツオと同じようにか」

「そうです。ぼくと同じように。誰かにバカとか間抜けといわれても、明るくまっすぐ生きるのです」

おれは胸をつかれていった。

「みんなもそうやって生きられるといいな。明日からおれもテツオみたいにがんばるよ」

大きな男ははにかんで笑った。表情のよく変わる天気雨みたいだ。

「探偵さんはもうちゃんとしています。昼間は果物を売って、夜は悪い人を追いかける。そういうのテレビなら立派なヒーローです」

ありがとうといって、ガードレールを立った。おれはテツオと携帯電話の番号を交換した。翌日の予定をきいてみる。

「いつもと同じで午後三時から、保育園です。終わるのは夜中の一時」

夜に子どもの相手をするのが仕事なのだ。少子化を嘆くなら、いっそのこと二十四時間営業の保育園を盛り場に百カ所くらいつくったらどうだろうか。おれは駅前のロータリーを遠ざかるやつの広い背中を見送った。

つぎの日は梅雨のなか休み。空はぼんやりと晴れて、ひどく蒸し暑い日だった。おれは十一時すぎに店を開けた。この季節はさして売れないので、朝の市場は勝手に休むことにする。そんな日はだいたいおふくろの機嫌が悪い。商売ものを並べ終えて、ちょっとでてくるというと、おれをにらみつけた。

「マコト、おまえはなんでいつも他人の尻ばかり追っかけてるんだ。その調子でうちの店をやれば、ここだっておとなりみたいにビルになるのに」

おれはネコの額ほどの地所に建つ雑居ビルを想像した。第一真島ビル。まあ、第二は絶対ないけどね。

「ビルにしてどうするんだ」

おふくろはにっとこずるい笑顔を見せた。メギツネ。

「もちろん家賃収入で、毎日遊んで暮らすよ」

「保育園とかやらないのか」

おれを横目で見て、おふくろはいう。

「自分の孫がはいるなら、保育園やってもいいけどねえ。そっちのほうの予定はないんだろう」

「いってきます」

おれはあわてて、西一番街の果物屋を離れた。どうもあの女と話していると、ネタがあぶないほうに転がるのだ。おれはまだまだ独身子なしの二十代を謳歌《おうか》するつもりだった。まあ、さしていいことなんてないんだけどな。


西池袋公園は西口五差路の角に建つマルイシティの裏手にある横長の公園だ。緑が多くて、高低差があり、見とおしのきかない造りになっている。おれは前日の雨で湿った公園のなかを歩きまわった。鉄棒、ブランコ、滑り台、定番の遊具のほかに、ネットでかこまれたボールゲーム用の広場もある。半分は児童遊園で、半分は都心で働く大人のための公園だった。おれが段差のついた遊歩道をおりていくと、うえから声がきこえた。

「マコトさーん」

顔をあげると、色濃い緑のむこうに砂色の建物が見えた。三階の窓からテツオが手を振っている。

「よう、ちょっとおりてこないか」

「待っててください。十秒でいきます」

おれはゆっくりと数字をかぞえた。実際に十秒とかからずにテツオは公園のいり口にあらわれる。ランチタイムが近づいているので、サンダルばきの会社員が湧きだしていたが、この時間にはほとんど子どもの姿はなかった。みんなまだ幼稚園や小学校にいっているのだろう。

テツオは腕時計を確かめて、誇らしげにいった。

「ほんとに十秒でしょう。うちのそばで、なにをしてるんですか」

おれは通りのむかいを見た。赤いコーラの自動販売機がある。

「待ってろ。缶コーヒーでいいな」

さて、急にやってきたテツオをどうするか。時間稼ぎである。おれは話題のロリコン危険地帯を偵察しておこうと思っただけなのだ。まだどう動くかなど、考えてもいなかった。缶コーヒーのショート缶をふたつさげて、テツオのところにもどった。湿ったベンチに腰をおろす。意味もなく乾杯した。テツオはひどくうれしそうだった。

「ぼくは同世代の人の友達、いないんです。なんだか、こういうのは友達っぽくて、感激します」

梅雨の晴れ間に公園で缶コーヒーをのむだけで友達なら簡単だった。

「じゃあ、今度天気のいい日にまたここで乾杯しよう。ところで、テツオはどうして休みの日にもこの公園にいるんだ」

テツオの顔から表情が消えた。

「子どもたちと遊ぶためです」

先ほどまでと違って表情が硬い。なにか隠している。直感でそう思った。

「ほかになにか理由は」

かたくなにいう。

「ないです」

「そうか、ならいいんだ。でも、テツオも知ってるな。池袋の街では、子どもを狙った犯罪が連続している。ここの公園はとくにひどいらしい。警官だってパトロールにきてるんだろう」

テツオはうなずいて、缶コーヒーをベンチの座面においた。指を折ってかぞえる。

「朝の十一時、午後の一時、三時、五時。四回きます。土日も祝日も変わりません」

驚いておれは、やつを見た。

「よく知ってるな」

テツオはほめられると素直にうれしい表情に変わる。なんでもないという顔で鼻の穴をふくらませた。

「毎日見てれば、誰でもわかります。事件があるのはいつも週末ですよね」

そうだといった。どこからかその男はやってきて、休日でにぎわう公園で遊んでいる子どもを狙うのだ。テツオは真剣な顔つきになった。

「あの、マコトさんは犯人を見つけようとしているんですよね」

いいや、違うといいそうになった。おれはただおまえの無実を証明するだけでいい。ロリコンの犯人逮捕は警察の仕事。だが、おれはいっていた。

「まあ、そんなところかな」

テツオはおれに手をさしだす。分厚くてあたたかなてのひらだった。

「じゃあ、ぼくたちの目的は同じです。子どもの敵をやっつける。いつだって公園で子どもたちが自由に遊べるようにする。それでいいですよね」

どうもテツオは反対しにくいことばかりいう癖があるようだった。おれはうなずいた。

「じゃあ、ぼくは今日から探偵さんの弟子になります。師匠、よろしくお願いします」

いつのまにかテツオの師匠にされている。おれは握手の手を離していった。

「わかった。よろしくな」

おれはこんなに素直で図体のでかい弟子をもったのは初めてだった。まあ、悪い気分じゃないが、それほどうれしくもない。おれには弟子なんて似あわないからな。

そのあと西池袋公園でテツオと別れた。帰り道の頭のなかは、公園の配置図でいっぱいだった。あの複雑な地形の公園で死角をなくすには、五カ所に見張りをおく必要がある。今回はうれしいことにGボーイズがつかい放題だ。

マルイシティの柱にもたれて、携帯を抜く。指が覚えている番号を選んだ。取次ぎは声優のようなかわいい声をした女。おれが名のると、すぐにタカシに代わってしまった。

「なんだ。あの件はすすんでいるのか」

キングはとりつくしまのない冷たい声。

「さっきの女にもどしてくれないか。おれの報告は今度から全部あの子にするから」

「ああ、あれならおまえのファンらしい。マコトにも、いろいろと噂があるからな」

今年になって初めてのいい話。おれは飛びついた。

「ほんとか」

「嘘だ。あれには同棲中の男がいる。それで、どうなった」

「いつかおまえをギロチンに送ってやる。とりあえず週末のあいだだけ、西池袋公園を張ろうと思う」

おれは手短に人数と配置を伝えた。それにテツオの部屋のばかみたいな近さも。黙ってきいていたキングはいった。

「やつがお人よしのおまえの弟子というのはぴったりだな。マコトもいっしょに子どもと遊んだらどうだ。女よりは似あいだ」

冗談をいう気もなくして、おれはタカシの提案を真剣に考えた。池袋の街でライ麦畑のキャッチャーになるのだ。公園の端にはどこまでも深い崖が口を開けていて、底には無数のロリコン男が待っている。そこに落ちそうになった子どもをおれとテツオが救うのだ。まったく悪くない話。


その日の午後はなにもすることがなかった。いつもの店番。おれは四畳半のCDラックから、ポール・デュカスのアルバムを取ってきた。『魔法使いの弟子』はゲーテの有名なバラードを交響詩に仕立て直したもの。そういうとひどく格調高いようにきこえるだろうが、こいつが有名になったのはディズニーのアニメ映画でつかわれてからだ。

師匠がでかけているのをいいことに、中途半端な魔法をつかった弟子が、そこらじゅうを水びたしにするというユーモラスなお話だ。曲も実にかわいらしい。だが、おれは客のぜんぜんいない店先を見ながら考えていた。おれが留守にしているあいだに、テツオが黒い魔法をつかう場面だ。やつが魔人に変身し、ちいさな子どもをポテトチップスのように口のなかに放りこむ。細い骨が砕ける音。あの男に関して、おれはまだ確信がもてなかった。あまりに素直すぎて、なんだか信用できなかったのである。

張りこみ最初の土曜日は薄曇りだった。ふたりひと組のGボーイズとガールズが計十人、ウエストゲートパークに集合する。正午から六時までの六時間、二時間交代で見張ることになったのである。おれも店番のないときは、なるべく公園に顔をだすことにした。

タカシはひとりひとりとサムアップの握手をして、ねぎらいの言葉をかけた。ガールズはそれだけで死んでもいいという顔をする。世のなかどこかいかれている。最後に王は円形広場の端でいう。

「現場では、このマコトがおまえたちのリーダーだ。なにか起きたら、まずこいつに報告すること。今回の相手は、子どもを襲う変態だ。しっかりと目を開けて、見つけだしてこい。マコト、おまえもなにかいいたいことはあるか」

全員の視線がおれに集まった。メンバーでもないのに、なんだこいつって顔。男はみな2サイズはでかいXLのTシャツに裾のだぶついたファットなジーンズ。女は反対にボディラインを強調するぴちぴちのカットソーやサブリナパンツ。くるぶしなんて、男も女も同じはずだが、女のくるぶしっていいよな。おれはしかたなく口を開いた。

「とても警官には見えないから、まずだいじょうぶだろうが、みんなあんまりテンションを高くして警戒しないでくれ。ロリコン男が逃げたら、それで今回はおしまいなんだ。実際に子どもを連れ去ろうとする場面を見かけた場合、おれより先に警察に電話してくれ。実力行使もおおいに結構。好きなだけボコっていいよ」

Gボーイズのガキの目がそのときだけ光った。もともとじっとベンチに座って、誰かを監視するなんて苦手なガキばかり。

「よし、散れ」

王の号令でおれたちは別々なルートで、西池袋公園にむかった。


ネットの張られた遊び場、階段うえにある広場、遊具のある一角には重点的にふた組、そして一車線の道路をはさんだむかいにあるビルの二階のカフェ。おれが選んだ張りこみ場所は以上の五点だった。

Gボーイズとガールズはすこしずつ時間差をつけて、あらかじめ決められた所定の場所にさりげなく腰を落ち着ける。カップルで笑って話す振りをしながら。園内の時計はちょうど十二時だ。長い待機が始まった。

土曜日の公園はのどかなものだった。近くの大学の学生が、緑のネットのなかでサッカーのミニゲームをしている。土曜出勤のサラリーマンは、普段よりものんびりと昼食にでかける。昼すぎになると近所の家族が、子ども連れでやってくる。梅雨の季節の緑は深く、とても都心にある公園とは思えなかった。劇場通りから一本うちにはいっているだけなのだが、とても静かだ。池袋は駅からすこし離れれば、閑静な住宅街になる。もともと繁華街のサイズが、新宿や渋谷にくらべるとちいさいのだ。だが、そんな穏やかな街にも、毒虫のような人間がまぎれこむことがある。

どんな花にも虫はつくのだ。それどころか、花が咲く遥か以前につぼみをくい荒らす虫もいる。ひと目で普通の人間と毒虫を見分けられたら、どんなに楽だろうか。おれは薄曇りの空から日ざしが落ちる公園で、ひとりそんなことを考えていた。

男たちのもつ欲望の不思議に打たれながら。

一時間ほどして、テツオが公園のゲートを抜けてきた。ぶらぶらと周囲をまわり、おれに気づくと子犬のように早足でやってくる。見張りのGボーイズの視線がやつに集中した。公園全体に緊張が走る。今回の監視対象にはロリコン男だけでなく、でかい保育士見習いもふくまれているのだ。おれは子ども用の遊園と遊具のない広場の境にある屋根つきのベンチにいた。テツオはおれのとなりに座るという。

「また缶コーヒー、のみましょうか」

よほどいっしょに乾杯したのがうれしかったらしい。テツオはにこにこと笑っている。そのとき児童遊園のほうにあるベンチから立ちあがった男がいた。長髪にゆるやかなパーマをかけた小太りのサラリーマンである。黒いアタッシェをさげて、暑苦しい濃いグレイのスーツを着ている。とくに問題はないようだった。おれはとなりのテツオにいう。

「今日はこれからどうするんだ」

「用はないです。さっき部屋の窓から、マコトさんが見えたから」

「テツオはずっとここにいるのか」

スローな保育士は黙ってしまう。しどろもどろにいう。

「うーん、今日はちょっとわからないです」

この公園で誰かと約束でもあるのだろうか。マナーモードにしてあるおれの携帯が、ジーンズのポケットのなかでうなりだした。

「はい、マコト」

「こちらゼブラ。警察のパトロールはいります」

ゼブラはカフェの二階で監視している班のコードネームだ。しばらくして、二台の自転車にのって、若い巡査がゲートにあらわれた。自転車をとめて、徒歩で園内にはいってくる。ゆっくりと周囲を見わたし、公衆トイレやくずかごのなかをチェックしていく。おれは巡査が再び自転車のところにもどるまで、腕時計をにらんでいた。

ふたりが園内にいた時間は四分三十秒足らず。二時間に一回五分だけパトロールの時間がくるのだ。ロリコン男がよほどバカでなければ、このタイミングはわかっていることだろう。テツオでさえ、パトロールの時間を知っているのだ。これではざるも同然だった。

おれはぼんやりと曇り空のしたの公園を見ながら、それから二時間すごした。となりでは、テツオが漢字のドリルをせっせとこなしている。おれは鉛筆の先をなめる人間を久しぶりに見た。ところであんたは「奏でる」という字を書けるだろうか。

その日のおれの収穫は、新しい漢字がひとつだけだった。

翌日の日曜日は雨だった。おれは朝一の連絡網で、張りこみの中止を伝言した。

今回の監視場所は屋外、しかも公園なので、雨降りで子どもたちがこない日には張りこみは中止になるのだ。幼稚園の遠足のようだった。おれは週末になると天気予報をしっかりと見るため早朝に起きた。晴れや雨なら、こたえは簡単だ。だが、晴れのち雨とか晴れときどき雨とか、降水確率四、五十パーセントなんて日は判断がむずかしかった。

この季節はほんとうに天気が読みにくい。おれは気象予報士を尊敬するようになった。気象衛星だって、スパコンだって、実にあてにならないものである。


つぎの週も張りこみは続いた。

週末の二日間、天気予報ではなんとかもちそうだった。土曜日の正午、五班十人のGボーイズ&ガールズを配置すると、また長い待機にはいった。テツオはまえの週と同じように一時まえにあらわれる。おれの携帯がうなるのと、遠くのベンチで男が動くのはほとんど同時だった。長髪にゆるく伸びきったパーマをかけた小太りの男。デジャブを見た気がする。おれはとなりのテツオにいった。

「先週あの男を見なかったか」

あのときは灰色のスーツ、今回はチェックの半袖シャツにチノパンだった。服装は変わっているが、同じ男のようだ。テツオがいった。

「覚えてます、師匠。警察のパトロールがくるちょっとまえに、公園をでていった人」

おれは声をあげそうになった。同じ男だとは思ったが、そのタイミングには気づいていなかったのである。

「よくやったな、テツオ。そいつは大正解かもしれない」

おれはすぐに携帯を抜いた。呼びだし音をきく時間さえ待ちきれない。

「こちら、ゼブラ」

「マコトだ。そこからチェックのシャツの男が見えるか。今、ゆっくりとブランコのまえを抜けて、公園をでようとしているやつだ」

小学生の女の子がふたり思い切りブランコを揺らしていた。空までいく、もっと空までいくと交互に叫んでいる。やつの目は冷たかった。いい餌でも見つけたトカゲのような目。

「わかります、マコトさん」

「そいつをしっかり見ていてくれ。手が空くようなら、ひとり尾行につけてもいい」

「了解」

通話が切れた。男が公園からでるのと、ほぼ同時に定例のパトロール警官がやってきた。のんびりと白い自転車をとめる。バカな話だ。警察は決められたことを、決められた時間にこなすだけでいいと思っているのだろう。これではいつまでたっても、猥褻《わいせつ》事件はなくならないはずだった。若い巡査ふたりは、のんびりと散歩でもするように園内を流して、五分後にはまたいってしまった。おれの携帯がうなりをあげる。

「ゼブラです。やつがもどります」

どこかで警察官を見ていたのだろう。制服の姿が消えると、やつはまた児童遊園のベンチにもどってきた。ブランコのふたりにねばりつくような視線を投げている。

「あいつのコードネームを決めた。やつは今からベンチ男だ。あの男を最優先で、監視してくれ」

気になって、つぎのパトロールまでねばった。テツオとだらだらとおしゃべりをしながら、プラス二時間。やつはまた漢字のドリルを開いた。おれの今度の収穫は、「障る」である。ほんとに漢字って無限にあるよな。

午後三時、再びパトロールの時間。警官がやってくる直前にベンチ男は立ちあがった。おれはテツオにいった。

「ビンゴだ。おまえがやつを見つけた」

おれたちの監視態勢は、緊張の度を増していった。対象が不特定のあいだは、なかなか気が散ってむずかしいものだが、相手が絞りこまれれば、やる気も違ってくる。二時間ごとにチームは交代したが、携帯電話のやりとりが異常に頻繁になった。

だが、ベンチ男は動かなかった。子どもに近づこうともしない。たまにベンチのまえをとおる子どもに笑顔でなにか話しかけるだけだ。ほとんどの子どもは、やつを不審そうな目で見て相手をしなかった。

「テツオくん、今日もお願いしていいかな」

目のまえに母子連れが立っていた。西野ジュリ、池袋のキャバクラの売れっ子とその息子のヒロミだった。ヒロミは手におもちゃのラッパをさげている。母親のほうはウルトラマリンのサマードレスだった。白い肌に鮮やかな青が似あっている。妙に華やかな雰囲気。ヒロミはデニムの短パンと胸にオレンジジュースの染みがついたTシャツ。とてもよそいきには見えなかった。ジュリはおれに気づいたようだ。軽く会釈だけした。にっこりとテツオに笑いかけていう。

「今夜はあまり遅くならないから、ヒロミをよろしく」

なにをいっているんだろうか。今日は土曜日で、テツオはオフだ。ジュリは小柄なヒロミをテツオのほうに押しだして、さっさと駅のほうにいってしまう。ドレスの裾が揺れて、形のいいふくらはぎを隠していた。

「なんで休みなのに、テツオがその子の面倒を見るんだ。このことは園長は知ってるのか」

ヒロミがラッパを口にあてて、おれにむかって吹いた。テツオをいじめるなとでもいうように。

テツオが優しくヒロミにいう。

「滑り台で遊んできていいよ。十回やっておいで」

そんなにたくさん滑ってもいいのかと目を丸くして、ヒロミが滑り台に駆けていく。やせたちいさな背中だった。ひと言も口をきかないのは、言葉がすこし遅いのだろうか。もっともおれには幼児の成長過程などまったくわからないのだが。テツオがぼそりといった。

「やっぱり園長にいいますか、師匠」

「わからない。でも、どう考えても保育園じゃない場所で、休日に子どもを預かるなんて、まずいんじゃないか」

テツオは右手をあげて、高層マンションを指さした。最近できたばかりの四十数階建てである。

まだ最上階の何部屋かが売れ残っているらしい。まあ、池袋に超高層ビルなんて似あわない。その手はサンシャインシティだけで十分。

「西野さんはあそこのマンションに住んでます。ご近所だから、よくここの公園で会うことがあって。だんだんヒロミくんを頼まれるようになったんです。休みの日には、ショッピングとか、エステとか、ジュリさんもいろいろいそがしいみたいで」

男とのデートもだろうといいそうになった。テツオは静かに続ける。

「ぼくは誰も友達がいないので、休みの日にはここでぼんやりしてることが多くて。だからヒロミくんの面倒が見られるのが、うれしいんです」

好意に甘えて、いいように自分の息子を押しつける。たいしたキャバクラ嬢だった。ヒロミは一瞬もとまらずに小猿のように動き続けていた。滑り台を反対に駆けのぼり、周囲をぐるぐるとまわり、スロープのしたをくぐる。母親は外の公園であまり遊ばせていないようだった。

「それで、いつも週末はこの公園にいたのか。あの子といっしょに遊ぶために」

テツオは恥ずかしそうにうなずいた。

「わかった。シンジさんには黙っているよ。だって、ロリコン騒動とは関係ないもんな」

これはきっとあのジュリという母親とテツオのあいだの問題なのだろう。いくらテツオが利用されていても、おれが口をはさむことではないように思えた。

「すみません、師匠」

テツオはばかでかい身体をベンチで縮めている。

「別にあやまることないだろ。それで、あの子はこれからどうするんだ」

テツオは例のとろけるような視線で、滑り台の男の子を見ている。

「夕方まで遊んで、ぼくの部屋に連れていって、晩ごはんをいっしょにたべます。ヒロミくんはいつも八時には寝ますから、あとはジュリさんを待つだけです」

個人でやっている無認可保育園である。

「金はもらってないんだろ」

「はい」

もういうことはなかった。おれが誰かのトラブルを引き受けるのと同じなのだ。そうしたいから、そうしている。明確な理由なんてなにもない。

「もういっていいぞ。ヒロミと遊んでやれ」

おれはそのままおおきなテツオとちいさなヒロミが遊ぶのを眺めていた。親子というより、年の離れた兄弟のようだった。ヒロミは言葉が苦手なようだが、テツオには幼い相手の意思が読めるのだ。穏やかな土曜日の夕方の西池袋公園。だが、そのふたりを見つめていたのは、おれだけじゃなかった。


二度目の土曜日、最後までベンチ男は動かなかった。

動かない相手には、さすがのGボーイズも手がだせなかった。やつはただ園内を散歩して、子どもの近くをぶらついているだけなのだ。獲物のにおいでもかぐように。二時間おきの警官のパトロールのときだけ、公園からでていき、計ったように五分後にもどってくる。おれたちの住む社会では、ああした人間を縛る法律などない。どれほど黒に見えようとも、いつだって実際に罪を犯すまでは、なんの手も打てないのだ。

おかげで日曜日におれは冷や汗をかくことになった。いつだって事件はこちらの準備がまるでできていないときに、あっさりと突然起こる。


日曜日の午後、最初に携帯が鳴ったとき、おれはまだ西一番街の店先だった。

「こちら、ゼブラ」

「どうした」

「昨日の母親と子どもが、ベンチ男と話しています」

嫌な気分だった。おれは駅前のロータリーを早足で、西口五差路にむかった。頭上にはカラオケ屋のドラゴンが長い首を左右に振っている。

「わかった。近くにいるチームのやつに気をつけるようにいってくれ」

「すみません。交代のやつらが遅刻していて、あっちのベンチは誰もいないんです」

「なんだって。じゃあ、園内のほかのチームをそっちに移動させるんだ」

「わかりました。母親が男の子を預けて、公園をでていきます」

おれは悲鳴をあげそうになった。もともと知りあいだったのだろうか。おれは携帯にむかって叫んだ。

「テツオは近くにいないのか」

「今日はまだ公園に顔を見せていません」

「ベンチ男の服装は」

「白と紺のボーダーの長袖シャツにジーンズ」

がまんできずにおれは走りだしていた。休日の池袋のメインストリートである。歩道は人でごった返していた。おれは信号を無視して、交差点を突っ切り、人波をかきわけて走った。ゼブラはいった。

「植えこみの陰にはいって、ベンチ男と子どもが見えなくなりました。これから、店をでて捜してみます」

「おれもすぐいく。なんとかやつを見つけだしてくれ」

通話を切って、おれはさらに速力をあげた。分厚い雲のした、通りの先には超高層マンションが空を刺すように建っている。おれは身体中を冷たい汗で濡らしながら、都心の公園に駆けた。


走りながら、テツオの携帯を呼びだした。

「テツオか」

「なんですか、マコトさん」

おれの吐く息は荒かった。ようやくいう。

「今、どこに、いる」

のんびりした声が返ってきた。

「部屋ですけど」

「すぐに公園を見てくれ。ヒロミがきているはずなんだ」

がらがらとアルミサッシが開く音。テツオの声も荒くなる。

「うちからは見えません」

「おまえはベンチ男の友達じゃないよな」

「違います。でも、なんで……」

おれは五差路の交差点で足踏みしていた。いくらあせっていても、六車線もある広い道路を赤信号でわたることはできなかった。

「あのキャバクラ嬢が、なぜかヒロミをベンチ男に託して、どこかにいってしまったらしい。理由はわからない」

「ぼくも公園にいって捜してみます」

通話は切れた。


おれは七十秒後には、西池袋公園に到着した。青い顔をしたテツオとGボーイズが、広い公園の中央に集まっていた。

「ヒロミはいないのか」

返事はなかった。テツオにいう。

「おまえ、あの西野ジュリとかいう女の電話番号知ってるだろう。すぐにかけて、ここに呼ぶんだ。ほかのやつらは、公園からだんだん輪を広げて、男の子を捜してくれ」

テツオは自分の携帯をだしていった。

「マコトさんは、どうするんですか」

おれはもう番号を選択していた。

「テツオと同じだ。電話だよ。こっちの切り札をつかう」


最初にでたのは例のアニメ声の女だった。

「マコトだ」

「あっ、キングからマコトさん、わたしの声が好きだってききました」

あせりで声が厳しくなった。

「うるさい、早くタカシと代われ」

傷ついた空白のあとで、タカシの声がきこえる。

「どうした、ヨーコがショックで黙りこんでる」

緊急事態なのだ。王も平民もなかった。キングに叫んだ。

「ヒロミがさらわれた。まだ十分とたっていない。池袋中のGボーイズを動かして、捜しだしてくれ」

さすがにタカシは回転が速かった。こぶしだけで、この街の王さまではいられない。

「わかった。相手は」

おれはベンチ男の外見と今日の服装を伝えた。目でテツオのほうを確認する。あの男の子の特徴はほかになかっただろうか。テツオが携帯の反対側の耳元でいった。

「マコトさん、ラッパ。ヒロミくんはラッパをもってる。なにかいいたいことがあったら、あれを吹くはずです」

おれはそのとおりキングに伝えた。通話が切れると、テツオにきいてみる。

「あの子のラッパにはなんの意味があるんだ」

テツオはじっとしていられないようだった。細かに身体を動かしている。

「今の仮面ライダーの武器は、ラッパやギターやタイコなんです。音の力で相手を倒す」

それでテツオに厳しいことをいったおれにむかって、あの子はラッパを吹いたのだろう。

「この近くで、ヒロミがいきたがる場所はないのか」

梅雨のなか休みの日曜日で、池袋はどこもひどい人出だった。たくさんの目がある。無理やり子どもを連れ歩くことはできないだろう。どこか子どもの望むところにむかっているはずだった。時間がたつほど、おれたちには不利になる。ベンチ男がクルマで移動していないのは、先の二回の張りこみでわかっていた。

テツオは両手で頭を抱えて、必死に考えていた。

「ここのニシイケ公園とメトロポリタンプラザにあるダッキーダック。ヒロミくんはあそこのチョコレートのシフォンケーキが大好物なんです。あとは……サンシャインの地下にあるトイザらス」

おれはすぐに携帯を抜いて、もう一度タカシに電話をいれた。近くにいるメンバーをその三カ所に集めてもらう。携帯を切るといった。

「ヒロミの顔を知ってるやつが、あちこちに散らばったほうがいい。おれはダッキーダックにいく。テツオはトイザらスを頼む。いいか、見つけたら、すぐに取り押さえろ」

おれの足は勝手に走りだしそうだった。西池袋公園から西口のメトロポリタンプラザまでは走れば五分とはかからないだろう。忘れていた注文をひとつテツオに告げた。

「いいか、タクシーのなかでいいから、あの母親にいっておけ。子どもがさらわれたと警察に電話をいれるようにってな。だいたい日曜日まで遊び歩いてる、あの女が悪いんだ」

テツオはすこし悲しそうな顔をしたが、おれといっしょに走りだした。劇場通りでやつはタクシーにのり、おれはそのまま西口五差路にむかった。おれはあのベンチ男がどんな種類の変態なのかわからなかった。繰り返し頭のなかに浮かぶのは、あの小柄な男の子が目をいっぱいに開いて、大人の男性を見あげている場面だ。

急に人間の皮を脱ぎ捨てた怪物を見る幼い子どもの視線。おれはあとに続くGボーイズのふたりといっしょに、走り雨のように池袋の街を駆けた。


ダッキーダックはエレベーターを七階でおりてすぐにあった。店のまえに並んだベンチには行列ができている。日曜日の午後なのだ。混雑もあたりまえだった。待ちあわせだといって、おれはさして広くない店内を見てまわった。女同士と家族連ればかりで、成人男性と幼い子どものペアはいない。考えてみれば、その組みあわせは街でもほとんど目にしないパターンだった。日本の父親は、きっと休日でもひどくいそがしいのだろう。

その場にGボーイをひとり残して、おれは連絡通路へ駆けた。となりの東武デパートのおもちゃ売り場は、トイザらスに負けないくらいの品ぞろえなのだ。鉄道模型、レゴ、変身戦隊ものの売り場と早足でまわった。ベンチ男の姿は見えない。ここにもひとりメンバーを残して、またカフェにもどる。

おれのなかでは、あせりが深くなるだけだった。ヒロミはこの池袋の街で、いったいどこに消えてしまったのか。交差するエスカレーターを眺めながら、おれは立ち尽くしていた。おしゃれをしたたくさんの家族やカップルが、上下に運ばれていく。鏡に映ったしあわせそうな無数の顔。だが、そのなかには障害をもって生まれたヒロミも、この街で暮らして誰ひとり友人をもたないテツオもいないのだ。このたくさんの幸福を支えるには、少数だが絶対的な不幸が必要で、それによって世のなかのバランスが取られているのだろうか。

世界はセンスのいい人間たちの他者への無関心によってできている。絶望的な考えに押し潰されそうになっていると、おれの携帯が鳴った。テツオの声は爆発しそうな喜びを伝えてきた。

「見つけました。サンシャインシティのテラス。スターバックスのまえです。今、ベンチ男はGボーイズが押さえてます」

携帯の背後にサイレンの音がきこえた。

「ヒロミは無事か」

急に怖くなったようだ。テツオは泣き声でいった。

「だいじょうぶです。ヒロミくんはあの男とふたりきりで、だんだん不安になっていたみたいです。最初にサンシャインシティアルパのなかを走りまわったときは、ぜんぜん見つかりませんでした。でも、テラスであのラッパの音がきこえて。すぐにわかったんです。ひどく脅えた音だったから。もうすぐこっちに警察とジュリさんがやってきます」

「わかった。おれもいく」


おれが茶色いタイル張りのテラスについたのは、正確に六分後のことだった。池袋の街は狭い。大勢のやじ馬が集まっているので、場所はすぐにわかった。広い階段の途中にある踊り場だ。警察官がボーダーのシャツを着たベンチ男を腰縄をつけて連行していくところだった。やつの目は壁に開いた穴のようで、どんな表情も浮かんではいなかった。自分の顔を隠そうともしない。

おれはテツオのところにむかった。男の子を抱いて、母親が泣いている。保育士見習いはそれをほほえんで見おろしているだけだ。おれの声はついきつくなった。

「あんたがおかしなやつにヒロミをわたしたから、こんな大騒動になったんだ。なぜ、あいつにその子を託した」

女の横には高級ブランドのショッピングバッグ。泣き顔をあげて、キャバ嬢はおれを見る。美人だが、ひどく老けこんで見えるのは、泣いているせいか、それとも水商売の垢なのだろうか。目は怒りに燃えていた。

「あの男は、自分はテツオくんの知りあいだ、もうすぐくるから、それまで見てましょうかって親切にいってくれたんだ。あんたなんか、女手ひとつで子どもを育てるつらさなんて、これっぽっちも知らないくせに。どうせ、わたしは母親失格だよ。この子にだって、生まれるまえからひどいことをした」

　意味がわからなかった。警官は遠巻きにおれたちを見ている。黙っているとジュリは叫んだ。

「この子を障害児にしたのは、わたしなんだ。妊娠がわかってから、父親はどこかに逃げちゃうし、ひとりで産んで育てられるか不安でたまらなかった。この子がお腹のなかにいるあいだも、わたしはずっとお酒をのんでいた。産まれたときヒロミの体重は千七百グラムしかなかった。胎児性のアルコール症候群なんだって。だから言葉も遅いし、身体もちいさいんだよ。全部わたしのせいなんだ」

　おれにはなにもいえなかった。子どもをもつなんて、事件を解決するように簡単にいくはずがないのだろう。でも、なにかいわなければ気がすまなかった。

「だからって、休みの日までテツオに子どもを預けっ放しでいいわけないだろ」

　ジュリはキッと顔をあげて、おれをにらんだ。

「じゃあ、どうすればいいの。この子とずっといっしょにいると、自分が責められてる気がするんだよ。こんな身体に産んだくせに、脳の発達だって遅れさせたくせに。そう責められてる気がする。これからどうなるかだってわからない。ヒロミは生まれてこなかったほうがましな子なんだ」

　なにもわからないのだろう。ちいさな男の子は、片手にラッパをもち、残る手で痙攣《けいれん》のスピードで母親の頭をなでていた。したをむいていたテツオがゆっくりと顔をあげた。

「ぼくはバカだから、よくわからない。ジュリさんもたいへんだった。ヒロミくんもたいへんだった。みんなにこれからつらいことがある。でも、生まれてこないほうがよかったなんて、ヒロミくんは思ってないです。ぼくだって、まともな仕事できないけど、そんなこと考えたことないです。ヒロミくん、今の気もちラッパで吹いてごらん」

　おもちゃのラッパを口にあてると、男の子は元気よく吹き鳴らした。最初は強く、つぎに息を伸ばして、最後にもう一段強く。それを何度も繰り返す。おしまいにヒロミはラッパを口から離していた。

「マーマ、マーマ、マーマ」

　ジュリの頭をなでながら、男の子はそういって笑った。

「ヒロミ。わたしの赤ちゃん」

　母親に抱き締められた子どもは、うれしそうにテツオを見あげている。中年の警官がやってきて、ジュリの肩に手をおいた。

「事情をきかせてもらいたいので、池袋署までお越しください」

　ジュリは男の子を抱いたまま立ちあがった。テツオとおれにぺこりと頭をさげる。警官といっしょにテラスの階段をおりる母子をおれたちは黙って見送った。空は壮大な雲と光りのショーを演じていた。雲の切れ間から日がさして、池袋の街のあちこちに透明であたたかな帯を散らしていたのだ。

　おれはテツオの肩をたたいた。

「おまえって、最高の弟子だな。缶コーヒーじゃなくて、スタバのアイスラテで乾杯しよう」

ベンチ男の名は、仲原雅樹。新聞によると東京生まれの三十五歳だという。仲原は成人してからの十五年のうち、実に十一年半を刑務所のなかですごしていた。出所するたびに幼児への性的暴行で逮捕されたのだ。逮捕は今回で五回目。今年の正月に出所して、池袋に住まいを見つけたらしい。池袋署では管内で起きたほかの幼児への事件でも、仲原を追及していく方針だそうだ。

おれにわかるのは、きっと今回がやつの最後の事件ではないということだけだ。この手の歪んだ欲望をもつ人間は、同じ過ちを無限に繰り返すものだ。いつか自分が壊れるくらいのスピードで、社会の壁に激突するその日まで、同じ壁に頭を打ち続けるのである。

欲望におもちゃにされているのは自分自身なのだ。哀れな人形。

仲原の逮捕に尽力したために、テツオは池袋警察署から感謝状をもらうことになった。横山礼一郎署長が賞状を読みあげ、テツオに手わたす場面をおれは目撃している。警察まわりの新聞記者なんかも盛んにフラッシュをたいて、なかなか立派な会だった。

礼にいは贈賞式が終わるとおれのところにきていった。

「またこの事件もマコトが一枚かんでるのか」

おれはわざとらしく驚きの顔をつくった。

「いいや、今回おれはなにもしてないんだ。全部、テツオがやったことだ。おれはそばにいて、ただ見ていただけ。まあ、あいつ、おれの弟子なんだけどな」

警察署長はおかしな顔をしたまま、おつきの警官を引き連れて会議室をでていった。まあ、実際に今回はなにもしていないのと同じなのだ。全部テツオの手柄である。

いい弟子をもつと師匠も楽ができるのだ。今度からは、おれもばんばん弟子を取ろうかな。

数日後の夕方、おれは駅前の保育園に足を運んだ。まだ早い時間で、子どもたちはひとりもきていなかった。Gボーイズの先代キングに、週末の特別保育以外のすべてを話して、テツオの活躍をたっぷりときかせてやった。

窓に夕日がさして、室内がオレンジ色に染まるころ、ホステスたちが子どもを連れてやってくる。テツオはひとりひとりの母親に挨拶して、子どもの名前を呼びかけた。行列の何人目かに西野ジュリの顔が見える。おれに会釈するといった。

「あの日から、マーマ、マーマってうるさくて。マコトくん、今度うちの店にきてよ。ボトル一本サービスするから。じゃあ、マーマはお仕事いくから、ヒロミはいい子にしててね」

ちいさな男の子は、ラッパで返事をした。よくヨーロッパの教会画なんかで角笛を吹く天使の絵があるよな。おれはあの笛がどんな音がするのか知らない。だが、きこえるのはきっとあのときヒロミが吹いたプラスチックのラッパの音と同じだと思うのだ。だってそいつはひどく軽やかで、明るく乾いた音だった。池袋の梅雨空からきれいに雲を吹き飛ばし、磨いたばかりの鏡のような夕焼けを呼ぶ音だったのである。

だから、駅前の無認可ガーデンからの帰り道、おれはいつもよりかなり幸福だった。今でもあの母親がナンバー1を張る店には、おれはいっていない。これからもきっといかないんじゃないかと思う。泣きながら小柄な息子を抱いたジュリの顔は、おれが見たなかでは一番きれいな顔だったのである。店でほかの男たちに見せる商売用の顔で、あのときの好印象を壊したくないからな。

池袋フェニックス計画

あんたもやっぱり、清潔好きかい？

虫一匹、病原菌ひとつない手術室みたいに清潔な街。アスファルトだってなめられそうなくらいぴかぴかに打ち水されたお上品な通り。そこには怪しい客引きやビラをもったミニスカートの女たちはひとりもいない。おまけに違法な風俗店もぼったくりバーもない。生きることの避けられない危険やスリルが、すべて追放されているのだ。そんな滅菌漂白された繁華街に、あんたはわざわざでかけるだろうか。欲望なんてかけらももたないという顔をして。

おれたち日本人は、すべてを管理しなきゃならないという強迫観念にとりつかれているのかもしれない。誰かが病気にかかるなら、すべての細菌やウイルスを地上から一掃してしまえ。街中を消毒して、予防注射を打ちまくれ。一日に三回手を洗い、外出から帰るたびにうがいをしろなんてね。犯罪が増えたなら、外国人を徹底的に取り締まれ。風俗店もたたき潰せ。善玉菌か悪玉菌かは、拘置所にぶちこんでから、こっちの都合で決めればいい。

だが、おれたちの人生は白と黒だけじゃないはずだ。わずかな濁りもない完璧な純白やまるで光りのささない究極の暗黒なんて、あんただって見たことはないだろう。おれたちはみんな灰色で、生まれたときから光りも闇も同じ量だけ分かちもっている。別にカッコをつけるわけじゃないが、生きてるってそういうことじゃないか。ときによって、やばいことやただしいことを、自分でも気づかないうちにしでかし、なんとかさして立派でもない毎日をやりすごしていくのだ。

おれはあまりにきれいすぎるものが苦手だ。浄化だとか治安回復なんて言葉も大嫌い。だいたい浄化といわれて、最初に頭に浮かぶのは例のエスニック・クレンジングだ。世界中のあちこちで起きてる民族浄化ってやつ。それは東欧や北インドの話だろうと、あんたはいうかもしれない。

だが、この秋、治安回復の名のもとに日本の首都の副都心・池袋で起きていたのは、ほとんどユーゴスラビアやインド・パキスタン国境と同じ絵柄だったのだ。日本国VS.在留外国人。外国人は誰でもとにかく警察に引っ張る。ビザがあるやつからは、ビザをもっていない知りあいの話をききだし、もっていないやつはそのまま強制送還する。でたらめな除菌作戦だ。それはなにも外国人だけでなく、日本人オーナーが経営する風俗店にも同じように強行された。外国人および風俗殲滅《せんめつ》作戦。繁華街の焦土戦術である。

世界がますますボーダーレスになっていくこの時代に、やつらは必死になって人間と人間のあいだに線を引こうとしていた。結局、時間をまきもどすことは誰にもできなかったけれど、池袋の街には深い傷跡が残った。回復するまでには、まだまだ長い時間がかかることだろう。

やつらが池袋フェニックス計画という作戦名でおこなったのは、近代医学以前の殺菌方法だったのだ。怪我をしたなら、消毒薬をつかうのではなく、傷口を焼いてしまえばいい。だが池袋だけでなく、どこの街にも無数に傷口があるものだ。人が生きてる場所なら、それがあたりまえ。

そのすべてを容赦なく焼き払う。それが街という生きものにどんなダメージをあたえるか。

自分は池袋みたいな怖い街には関係ないというあんたは、転んでできたすり傷に焼きごてを押しあててみるといい。あんたの口からでる悲鳴、それこそおれたちの街がこの秋に漏らした声なのだ。


だらだらと続く夏の余韻が、十月の池袋に色濃く残っていた。ハリケーンも台風も、でたらめな残暑もすべて地球温暖化のせいだという。そうなると、おれの退屈もきっと異常気象のせいなのだろう。夏の終わりからこのかた、いくら寝てもだるくてやる気がでないのだ。季節の変わり目によくある身体の変調だが、夏の暑さのピークが高くなって、だるさもいよいよ最高潮だった。

だがおれの気分がローダウンしてるのは、なにも気候のせいばかりではなかった。池袋の街は二カ月まえから、いかれてしまったのだ。あるひと晩を境にして、街は縮みあがってしまった。八月なかばの夜十時、西口の劇場通りと東口の60階通りに灰色のバスがとまった。目撃者（たいていはキャッチの男や女たち）の証言によって数はまちまち。ある男は三台ずつだといい、あるフィリピーナは戦争ができるくらいのバスが通りを壁になって埋め尽くしたという。機動隊がのる窓に金網の張られたあの灰色のバスの壁である。

おれは何台のバスが池袋にのりつけたのか、正確にはわからない。だが、警察車輛にのってきた男たちの数なら知っている。西口に六百人、東口に五百人。警視庁と入国管理局の男たちが総計で千百人、なんの予告もなしに街を襲撃したのだ。そいつは翌日の新聞記事にちゃんと書かれていた。きっと懸命に街の清掃に取り組んだのだとアピールしたかったのだろう。東京都の役人は数字には正確だ。

金曜日の夜、風俗街のメインストリートの両端を固めるのは、腰に警棒と短銃をさげ、ヘルメットをかぶった若い機動隊員だった。やつら自身、その日になるまでどんな任務で駆りだされるのか知らなかったという。成果も派手だった。八月十二日深夜から十三日早朝にかけておこなわれた一斉取り締まりで、外国人男女二百三十七人を検挙。個室マッサージ店など二十九店を立ちいり調査、組関係の事務所十一カ所を家宅捜索したという。

それがこの街の裏側じゃあ、誰も知らぬ者がない8・12の衝撃だ。

つぎの朝から、外国人キャッチはひとりもいなくなった。女たちも男たちも、池袋から消えたのだ。死に絶えた夜の通りには、ホストと黒人の呼びこみが少々。やつらはビザの問題がないアフリカの国々からやってきた。仕事はそのまま続けられる。そのほかの数十カ国の外国人、いや世界の友邦の人たちとは違ってね。

ことの起こりは、8・12の一週間まえにさかのぼる。

池袋の商店会のあいだで緊急招集がかかった。あいにくうちの果物屋は、ひと足早い夏休みだった。おふくろは女学校時代の幼なじみと軽井沢旅行。おれは別に女との約束もなく、のこのこと豊島公会堂にでかけていった。

まだ日の高い午後六時、誰もいない演壇のうえにはでかでかと看板がさがっていた。池袋フェニックス計画。スパイ大作戦みたい。その夜誰と遊ぼうかと、おれが携帯をいじっているると、ひとりの男がステージの上手からあらわれた。颯爽《さっそう》とした紺のスーツ。仕立てもいいし、サイズもジャストだ。クールビズというのだろう。ノーネクタイで、紺のストライプのシャツを着ている。襟の高いドゥエ・ボットーニ。襟にボタンが二個ついたこじゃれたやつ。

演壇横の電光掲示板には、東京都副知事・瀧沢武彦の名前。政治家にはめずらしいハンサムで、拍手は商店会の男たちよりも女たちのほうが多かった。まあ、池袋も商店会のつねで女のほうが元気なんだけどな。やつは神経質そうにマイクをさわり正面をにらんだ。

「池袋のみなさん、暴力団とたたかう準備はできていますか」

場内がどよめいた。おれは心底びっくりした。池袋の街と暴力団というのは、切っても切れないものだ。この街にある百以上の組事務所のことを考える。あいつらは歯周病菌と同じだ。どんな人間の歯にも住んでいて、ときに悪さをすることもある。だが、完全に駆除することはできないし、人は完璧な無菌状態では息苦しくて窒息してしまう。

イケメンの副知事は続けた。

「治安の悪化がいわれていますが、東京都も警視庁も今回は本気で取り組むつもりです。新宿・池袋・六本木、三カ所の重点地区で、この夏から本格的な掃討作戦にはいります。それには地域の住民のみなさんのご協力が欠かせません。子どもたちが安心して遊べる街、観光客が夜も安全に外出できる街をつくるために、みなさんのお力を貸してください」

確かにいってることはまともだった。それどころか、やつが言葉を切るたびに、古い公会堂の観客席から拍手がまき起こったりする。こいつは口ではこんなことをいっているが、それがどれだけたいへんなことかわかっているのか。おれはあきれて壇上の男を眺めていた。

「戦後何度も厳しい時代をくぐってきた池袋の街を、不死鳥のように再生する。それがこのたびの治安回復プランの目的です。そこでこのプランは『池袋フェニックス計画』と命名しました。商店会のなかにも有志でフェニックス会をつくっていただくことになります。たたかう覚悟のあるかたは、ぜひご参加ください」

ステキーッと黄色い声が飛んだ。副知事はヨン様か。瀧沢はにこりと声のほうにむいていった。

「ありがとうございます。再来年は都知事選もありますし、そう遠くない将来、国政選挙もあることでしょう。そのときはこの瀧沢武彦、またみなさまにいろいろとお願いをすることがあるかもしれません。どうぞ、よろしくお見知りおきください」

嵐のような中高年の拍手。ほんの数分の演説で、男は池袋の街に住むさして豊かではない住民の心をつかんでしまった。おまけにちゃっかり都知事選の宣伝までしていく。なかなかの役者だった。

おれは会場においてあったパンフレットを開いた。男の経歴を読む。東京大学法学部卒、警察庁入庁。警視庁に出向後、三年まえから現知事にこわれて、警視庁を辞し治安担当の副知事に転出。まだ四十七歳だ。傷ひとつないぴかぴかの経歴だった。この男なら金のバッジをつけるのもそう遠くない。世間知らずのおれは、そう頭から決めつけた。

瀧沢の演説の翌日、劇場通りの郵便局の先にある東京都健康センタービルの十一階と十階が様変わりした。うえには警視庁本庁直属の組織犯罪対策部、したには入国管理局の池袋出張所が引っ越してきたのだ。

あんたが外国人で、近くて便利だからって出張所に足を運んでもムダだよ。愛想のいい窓口係なんて、ひとりもいないのだ。だって、あそこは在留手続きなんてやってはいない。不法滞在者の摘発専門の出先機関なのである。

そして、悪夢の8・12がやってくる。

池袋の街が、ひと晩で変わってしまったあの日だ。

瀧沢のいっていたことはただしかった。やつらは本気だったのである。おれたちの街の主役は、警官と入管になった。厳しい摘発で、怪しげな外国人パブや個室ヘルスも、キャッチの男女もいなくなった。それにあわせて、金を落としてくれる酔っ払いも寄りつかなくなったのである。

健全な、健全な池袋。夜十一時をすぎると、この西一番街からさえ人どおりが途絶えてしまう。田舎の温泉の駅前みたいにね。おかげでうちの果物屋のほうもあがったりだった。もともとすくない売りあげが、致命的に急降下する。

さすがにどこかのお偉いさんの立てた計画だった。おれたちのフェニックスは、ステルス爆撃機のように超高度から火の粉を撒き散らす。やつらは丸焼けになって、誰もいなくなった街を安全だといっているのだ。どこの役人でも政策立案者でもかまわない。一度、雲のうえからおりてきて、ストリートのうえに立ってみるといい。安全で清潔で健全であることが、人からなにを奪うのか。そうしたらおれたちはみんなただの人間で、いくらただしくても炎のなかでは生きられないとわかるだろう。それが今のおれたちの街のかけ値なしの姿だった。

沈んだままの秋がやってきた。

おれたちはなんとか掘っ立て小屋のなかで、火の鳥襲来にそなえている。豊水とふじとマスカットを店先に積みあげ、いつもの秋がもどってくるように祈りながら店番の毎日。警官がこんなに多くては、おれの副業のトラブルだってめったに起きはしなかった。二階にいるおふくろに、声をかける。

「ちょっと散歩してくる」

舌打ちが盛大にきこえて、おふくろがうえから叫んだ。

「またかい。今夜はフェニックス会があるから、適当なところで帰ってくるんだよ」

「はいはい」

またも舌打ち。うちのおふくろが上品ですまないな。

「はいは一回だろう」

肩をすくめて、街にでる。そうはいっても、狭い店から一歩足を踏みだせば、そこはおれのホームタウン。さすがに日が高いあいだは、池袋の人波にもあまり変化はなかった。いつものように焼け跡の街のパトロールにむかう。西一番街からロマンス通りに折れた。

火の鳥の威力はすごいものだった。何軒も開いていた裏ＤＶＤ屋のシャッターが、すべておりてしまっている。ロサ会館をすぎて、つきあたりの四つ角に立つ。見事なものだ。夏までは七階建ての全フロアが埋まっていたヘルスビルの張りだし看板が全部真っ白。それも風俗ビルは一本や二本ではない。まるまる空っぽになっていなくても、あちこちで歯抜けになった建物がやけに目立った。これでは風俗店だけでなく、ビルのオーナーもローンの返済に困っていることだろう。

「おれをどこの誰だと思ってるんだ」

腕を組んで池袋の狭い空を見あげていると、男の叫び声がきこえた。一斉取り締まり以来あまりきくことのなかった本職のドスのきいた声だ。何人かの男たちがケンカ見たさに小走りで声のほうにむかった。おれもゆっくりとあとに続く。そこは西三番街の路地裏だった。白いシャツにボウタイのガキがふたり組の男にからまれていた。

「おまえ、ここがどこだかわかってんのか」

本職のほうのひとりは、黒いスーツに黒シャツ。オールバックに金の鎖。身体はアメフトのガードほどある。そいつがガキの胸倉をつかんでいた。きっと縄張りの巡回中に客と間違われて声をかけられたのだろう。ヤクザは面子《メンツ》がすべてだ。おのぼりさんと見なされたら、誰でも瞬間的に頭に血がのぼる。白シャツが震えながらいった。

「いいえ、そちらに声をかけたわけじゃないんです。むこうにいたお客さんに声をかけただけで……すみません。気にさわったら、ほんとにあやまりますから」

黒いスーツのうしろに立っていた小柄な革のブルゾンが錆びた声でいう。

「だから、どうした。おまえは池袋でしのいでいて、豊島開発のおれたちを知らないのか」

見ればすぐにあの手の人間だとはわかるが、おれにだってやつらがどこの組織の人間かなんてわからなかった。豊島開発、あそこなら好都合だった。やつらも別にこんなガキから金をとろうとしているわけではないだろう。いきなり黒シャツがにぎりこぶしで、ガキの顔をなぐった。ごつんと鈍い音がする。おれは人の輪を離れ、一歩まえに踏みだした。低姿勢で声をかける。

「そのぐらいで勘弁してあげてください。人違いをしただけじゃないですか」

ガキの胸元を離して、黒シャツが肩を怒らせおれのほうにむき直った。

「なんだ、おまえ、誰にむかって口きいてんだ」

おれは生まれたときから池袋で生きている。ヤクザの脅しには慣れっこだった。

「別に理由なんかないですけど、こんなところで騒ぎを起こしたら、カラスだってやってくるかもしれない。それじゃなくても、取り締まりが厳しいんだから」

カラスは警官のこと。また黒シャツがなにかわめこうとした。ちいさなブルゾンがやつをとめて、おれにいった。

「おまえ、稼業のもんか。どこの組織だ」

目がすわっている。おっかない。おれはGボーイズのメンバーでもないし、ましてや暴力団になどつま先だってはいったことはない。だいたいこんなファッショナブルなヤクザがどこにいるというのだ。

「どこの組織にも関係ないです。でも、そちらにならら、知りあいがいます。ちょっと電話するから、話してみてくださいよ。ここは丸く収めたほうがいい。だって今はフェニックスの最中じゃないですか」

あの火の鳥はいつ飛んでくるか誰にもわからないのだ。携帯を抜いて、豊島開発の組事務所の番号を選んだ。おれは社長の多田三毅夫の長男ヒロキを、誘拐犯から救出したことがあった。もっとも少年計数機をさらった犯人は、多田の妻のシャロン吉村が見つけたのだけれど。

多田に話があるといったが、外出中ででられないという。その代わりに専務だという男がでてきた。おれが名のると、耳元でしゃがれた声が鳴る。

「あんたが、あのときの真島さんか。坊ちゃんが世話になったな」

おれが豊島開発の本社ビルにいったのは一回だけだった。するとこの専務はあの携帯電話の鑑賞会に参加していたことになる。

「いいや、そんなことより頼みがあるんだ」

おれは手みじかに西三番街で起きているもめごとを話した。わかったと専務はいう。携帯電話を革ブルゾンにさしだした。ちいさな電話を耳にあてると、小柄な男は中腰になった。お辞儀をしそうな勢いでいう。

「はい……はい、わかりました……はい、すぐに収めますから」

電話を切ると、おれに携帯をもどした。黒シャツはなにが起きたのかまるでわからないようだった。革ブルゾンがいった。

「あんたが真島誠か。名前はきいてる。売りだし中の若いもんなんだってな。うちの沢田専務がよろしくといっていた。さあ、いくぞ」

若い黒シャツはまだ暴れたりないようだった。

「でも、兄貴。こいつ、このままでいいんですか」

ブルゾンが腹から声をだした。

「いいから、こい」

池袋西口の風俗街の半分をもつ豊島開発のチンピラがふたり、常盤通りのほうに去っていった。

なんだ、つまらない。そんな顔をして、野次馬たちも散っていく。白シャツのガキがおれのところにやってきて、勢いよく頭をさげた。

「おれ、庄司光一です。あぶないところをありがとうございました。真島さんっていうんですよね。すごくカッコよかったです」

おれは面とむかってほめられるのが苦手だ。なんだか尻がかゆくなる。

「はいはい、じゃあな」

ガキは必死になっていった。

「待ってください。おれ、あそこのビルのお見合いパブで働いてるんですけど、店長は逃げちゃうし、仲間もみんなシカトでした」

ななめまえにある風俗ビルを見あげた。七階建てのうち五フロア分がテナント募集中。新しい条例では、違法な風俗店に場所を貸したオーナーにも罰則があるのだ。危なすぎて家主も簡単に箱を貸せない。お見合いパブ「男と女のマッチング」は三階にあった。

「おれ、池袋にきたばかりで、なにも知らないんです。真島さんの弟分にしてもらえませんか」

ひっくり返りそうになった。おれはヤクザでもチーマーでもない。ただの善良な果物屋の店番なのだ。

「勘弁してくれよ。うちは西一番街で店をやってる。おれは店番だ。ひまなら遊びにきてもいいけど、弟分なんていらないからな」

コウイチの左頬は腫れあがり始めていた。元気よく頭をさげて、やつはいった。

「じゃあ、今度遊びにいかせてもらいます、兄貴」

背中に鳥肌が立った。おれは基本的に東映ヤクザ映画もモデルになった本職のやつらも大嫌いだ。

「兄貴はやめろ。早く店にもどって、顔冷やしたほうがいいぞ」

おれはそのまま、半分空っぽになった西口風俗街を流していった。その十分間がコウイチとの出会いだった。やつにとって運がよかったのか、悪かったのかわからない。あのときおれがいなければ、豊島開発の下っ端に何度かなぐられただろうが、それだけで終わったはずだ。

おれのまわりにいたせいで、やつはとり返しのつかないようなひどい目にあったのだから。なあ、なにが幸運でなにが不幸か、それは空をいく小鳥の軌跡のように定かじゃないよな。

フェニックス会の会合は月二回。夕方の六時からだ。おれはおふくろといれ違いに店に帰り、また平凡な店番にもどった。ＣＤラジカセには、ストラヴィンスキーを選んだ。『火の鳥』は二十世紀ロシアの天才の出世作。二十七歳のときに初めて書いたバレエ曲だ。暗いおとぎ話のような音楽だが、あちこちにやけに精密で野蛮なリズムがのぞいている。それはまるで、この街に飛んできたフェニックスのようだった。治安回復の名のもとに執行される暴力と緻密な作戦計画。まあ、この街の様子を見れば、ストラヴィンスキーだってあきれるだろうが。

客がいないので音楽に耳を澄ませていると、うちの店のまえに見たことのない若い女が立った。白いブラウスに紺のミディ丈のフレアスカート。セミロングの黒髪には、白いリボン。池袋ではめったに見かけない清純派だ。ぺこりと頭をさげて、女はいう。

「これ、ブーレーズが指揮したＣＤですよね」

びっくりして、うなずいた。曲名がわかるやつはいても、指揮者が誰か気にする人間は西一番街にはまずいない。そのときおれがかけていたのは、ピエール・ブーレーズがＢＢＣ交響楽団を指揮した名盤だった。女はふっくらと笑っていう。

「このあとにはいってる『プルチネラ』、わたしも大好きです。あなたが真島誠さんですね。いつもクラシックが流れてる果物屋さんで働いているってきいたんです。わたし、瀬沼郁美、城北音大のピアノ科二年。あの……」

どうりで、どこかの小学校の音楽教師のにおいがするわけだった。黙りこんだイクミにいった。

「おれを探しにきたんなら、なにか困ってることがあるんだろう。できるか、できないかはわからないけど、話してみたらどうだ」

店の奥にパイプ椅子を開いてやった。イクミは居心地悪そうに、浅く腰かけている。

「お願いっていうのは、うちのお姉ちゃんのことなんです。カズミちゃんは同じ大学のピアノ科四年生なんですけど、最近大学にも顔をだしていなくて、それでいいにくいんですけど、ホストクラブにはまってしまったみたいで……」

風俗の女たちばかりでなく、遊びなれていない大学生やＯＬがホストクラブにはまるのはよくある話だった。

「それでバカみたいな借金ができた。あのさ、そういうのは親に話して、さっさとけりをつけたほうがいいよ。あいだに弁護士をいれれば、ツケだって安くなるし。そのカズミちゃんにもいい授業料になる」

イクミはいやいやをするように首を横に振った。

「ダメなんです。カズミちゃんは部屋を飛びだしてしまって、噂では池袋の風俗にいるらしいんだけど……」

なんで話がそこまですすむのか、おれには理解不能だった。

「えーと頭痛くなってきたな。どうして、ホストクラブから風俗にいったんだ。もっとホスト遊びの金が必要だったのかな」

『火の鳥』は魔王カスチェイの眷属《けんぞく》のダンスになった。ストラヴィンスキーお得意の原始のリズムが炸裂する。なあ、やっぱりチャイコフスキーよりこっちのほうが断然カッコいいよな。

「クラブの人にきいたら、もうお店には借金はないというんです。うちの店にはもう関係ないって」

「そのホストクラブとホストの名前は」

「西三番街にある『ブラックスワン』、男の人は大輝っていう人でした」

なんだか救われない話になってきた。

「あんたたちの親はどうしてるんだ」

イクミはしたをむいてしまう。果物屋にはいつもフルーツの甘いにおいがするものだが、そのときは熟した柿とパイナップルのにおいが層になって漂っていた。

「両親は和歌山にいます。今度のお姉ちゃんのことは、ふたりともまだ知らないんです。できたら、なにも知らせずに解決したいんですけど」

「でも、この件では金がかかるよ」

借金をした相手にはいくらかの金を払う必要があるだろう。まあ、先方のいいなりの額ではないが。さっと顔をあげて、イクミはおれを見つめた。

「仕送りをためたお金とわたしの留学資金があります」

海外留学となると、イクミはかなり有望なピアニストということになる。

「それで風俗のほうは」

イクミは困った顔をした。清純派は眉のあいだにしわを寄せる。

「西口の『ラブネスト』っていうお店らしいんですけど。あの、真島さんは風俗にもくわしいんですよね。そこはどういうお店なんでしょうか」

おれはこの街に育っているから、そこそこは常識として知っている。だが、風俗の常連というわけではなかった。

「そんな店は知らないよ。おれは金ないし、風俗にはいかないの。だけど、なんであんたが店を知ってるんだ」

イクミは顔を真っ赤にして、唇をかんだ。なんだか懐かしい表情だった。最近のアイドルときたら、テレビで下ネタばかり話してるからな。

「うちの音大で噂になって。男子学生がそこのお店で、うちのお姉ちゃんによく似た人と会ったって」

「そりゃあ、しんどいな」

学校で自分の姉が風俗嬢になったと噂される。清純派にはきついことだろう。胸のまえで両手を組んで、イクミはおれにお願いのポーズをした。

「わたしたちは目白のマンションで、ふたりで暮らしていたんですけど、カズミちゃんはもう一週間も帰ってこないんです。誰も相談する人がいなくて、困っていました。真島さんだけが頼りなんです」

若い女にお願いされるのは気分のいいものだった。どちらにしても、こいつは金で幕が引ける簡単な事件だ。久々に出番がまわってきて、背筋が伸びたのが自分でもはっきりとわかった。こうでなくちゃ、池袋は始まらない。おれは携帯を抜いていった。

「じゃあ、あんたの電話番号を教えてくれ」

清純派はすぐに携帯のアドレスと番号を教えてくれた。おれは登録しながらいった。

「なあ、イクミちゃん、この街ではそんなに簡単に人に番号を教えたらダメだよ」

『火の鳥』はとうに終わり、曲は『プルチネラ』のガボットになっていた。ゆったりと優雅なメロディがクラリネットからフルートに受けわたされていく。人生もこんなふうにスムーズに変奏できればいいのに。

店先までイクミを見送った。暗くなった西口の繁華街を、白いブラウスと紺のスカートが遠ざかっていく。おれは思うんだが、肌を露出すればそれでバカな男たちが引っかかってくると、若い女は単純に思いこみすぎているんじゃないだろうか。ときには人の逆をやってみる。イクミのようにまったく肌をださずにクラブにいったら、案外男たちにかこまれるかもしれない。

おれがやさしく新古典派の組曲にあわせて手を振っていると、背中から声がかかった。

「なんだい、マコト、今度はまじめそうな子だね。『二十四の瞳』の高峰秀子みたいじゃないか」

うるさいんだよ、ババアといおうとして振りむいたら、おふくろとコウイチが立っていた。サングラスをはずしてやつはいう。

「この顔じゃあ呼びこみは無理だから休めっていわれまして。まあ、フェニックスこのかた、お見合いパブは毎日ひまだからいいんですけど」

チンピラになぐられたコウイチの左目のまわりには、青いあざが浮いていた。周辺は気もちの悪い黄色。やつはおふくろに深々と頭をさげていった。

「兄貴のおかあさまに道案内をさせてしまって、もうしわけありません。新しく舎弟になりました庄司光一です。よろしくお願いもうしあげます」

おまえはヤクザか。つっこもうとして、気が変わった。この男は西口の風俗街で働いているのだ。なにか情報を引きだせるかもしれない。それにおれはひとりではいりにくい場所を確かめてみたくもあった。

「コウイチ、ちょっと顔を貸してくれ」

おふくろはむくれていう。

「また人助けかい。それぐらい熱心に店のほうもやっておくれ」

「はいはい」

「返事は一度だよ」

おふくろの口調は厳しかったが、コウイチのせいで気分は悪くなかったらしい。ひとつ三百円もする店先のふじをとって、やつの胸元に投げた。

「そいつはうまいリンゴだよ。頼りない兄貴分だけど、うちのマコトをよろしくね」

コウイチはまた頭をさげた。

「はい」

「いい子だ」

任侠映画の一場面のような展開はなんなのだ。おれはうなずきあうふたりの間抜けをあとにして、ウエストゲートパークにむかった。


「話はあとでする」

コウイチにそういって、西口駅前の信号待ちのあいだに携帯をつかった。サルとは久しぶりだった。おれはやつの数すくない堅気のダチなのだ。羽沢組の渉外部長（どんな仕事をするのかぜんぜんわからないが）は暗い声で返事をした。

「なんだ、マコト」

「景気はどうだい」

怒気をふくんだ声で、元いじめられっ子はいう。

「フェニックスがきてんだぞ。いいわけがないだろうが。今回はおまわりも全面的に対決姿勢なんだ。手いれの情報がぜんぜんはいってこねえ。さんざんのみくいさせて、女だって紹介したのに、ひどいやつらだ」

笑ってしまった。それは誤解もいいところ。

「そいつは違うんだよ。吉岡からきいたけど、池袋署のほうでも、手いれの直前までは組織犯罪対策部からはなにも知らされていないんだ。所轄の連中はみんな文句いってるさ。ヘリコプターでおりてきて、好き放題にやってるって」

「組対部か。なんとかあそこにくいこめればいいんだがな」

サルがしみじみとした口調でいった。池袋のトップスリーの羽沢組でも、これだけ締めあげられている。ほかの中小組織はどうなっているのだろうか。サルは切羽つまった様子でいう。

「おまえでもいいぞ。うちのオヤジから、指令がでてる。健康センターの十一階から情報をとれるか、このフェニックスの動きをとめられるやつがいるなら、いくらでもだすってな。うちと豊島開発が共同でたっぷりと金ははずむそうだ」

そんなことをいわれても、おれは警察を相手にトラブルシューティングなどしたことがなかった。どちらかというと、灰色ゾーンにいてもいつだって警察サイドに立っていたのだ。すくなくとも片足くらいはね。なんといってもおれは池袋の正義の味方だからな。

「そんなことできるやつがどこにいるんだよ。むこうは警視庁直属だぞ。それより、おまえにききたいことがある。ホストクラブ『ブラックスワン』と風俗店の『ラブネスト』からみかじめをとってるのは、どこの組だか調べられないか」

池袋の店を相手になにかをするには、ケツもちがどこの組織か調べておく必要があった。やばいところなら、うかつに手はだせないからな。おれは続けていった。

「ちょっとこれから、調べごとがあるから、こたえがわかったら電話してくれ」

通話を切ろうとしたら、サルが叫んだ。

「バカか、おまえは。どっちも京極会だよ。そいつも最悪の池上組だ」

「なんで、そんなにすぐわかる」

サルは鼻で笑った。信号が変わり、おれと光一はウエストゲートパークにむかって、横断歩道をわたった。都心の交差点の空にフィルムのような羽をしたトンボが浮かんでいる。

「そいつが今日の会議のテーマだったのさ。池上のやつらには、フェニックスはいいチャンスのようだ。池袋が混乱してるのをいいことに、大量の資金と人材を投入して攻勢をかけてきやがった」

おれは横断歩道の途中で立ちどまった。コウイチは怪訝そうな表情で、おれを見ている。

「でも、どうしてだ」

「サツが風俗街をまったく別ものにつくり変えようとしてるのさ。くわしいことは、つぎに会ったら話してやる。だがな、マコト、池上系列の店に手をだすなら、よほど慎重にやるんだぞ」

わかったといって、通話を切った。タクシーにクラクションを鳴らされ、おれたちは中央分離帯にとり残される。思わず声がでてしまった。

「困ったな」

「どうしたんですか」

京極会は関西に本部をおく、暴力団の全国チェーンだった。日本の全ヤクザの半分はそっちの系列。よく知らないが構成員は三万だか、四万人くらいいるらしい。そのなかでも武闘派で有名なのが池上組だ。なんでも危ない人間をたくさん抱えていて、抗争が起こるたびに無制限に戦闘員を送りこんでくるという。

池上組に手をだすなんて、スズメバチの巣に裸ではいっていくようなものだった。身体中に好物の果汁を塗ってね。

秋のウエストゲートパークは、おれの好きな場所だ。

夏よりも人はずっとすくなく、空は冷たく高い。日ざしも空気も乾いて、人と人の距離がすこし離れた感じがする。暗くなって、たがいの表情もよく読めなかった。都会での適正な距離感だ。パイプベンチに腰かけて、おれはざっと清純派の姉がはまったホストクラブのトラブルを話してやった。コウイチはあきれていった。

「最近は女子大生でもホスト遊びするんですね」

それどころか高校生だってはまっている。あらゆる悪い遊びが低年齢化している時代だ。

「それより、『ブラックスワン』の噂はきかないか」

「あそこのホスト評判悪いですよ。強引だし、やけに態度がでかくて。うちの客は男で、むこうの客は女だから、まだいいけど。ほかの店のホストとはよくもめてますから」

「おまえのところの店は、どこの系列なんだ」

「うちはみかじめは羽沢組ですけど、最近は池上の人がよく顔だしてます。格闘技やコンサートのチケットとか押しつけられて、オーナーも困ってるみたいです」

「そうか」

羽沢組の縄張りにも関西系の大手が粉をかけているようだった。浄化作戦がすすんでいる最中に大胆な話である。地元の組織はもめごとを避けようとちいさくなっているのだが。

「じゃあ、『ラブネスト』って店は知ってるか」

コウイチは不思議そうな顔でおれを見た。

「有名ですよ。マコトさんて、ほんとに池袋育ちなんですか」

「そうだけど、風俗のことはよく知らないんだよ」

「今、池袋の風俗で一番流行《はや》ってるのは、あのデリヘルじゃないですか。どこかの会社がヘルスビルを丸々一棟買いしたんです。それでコンバージョンっていうんですか、オフィスビルを居住用のワンルームマンションに変えて。ひと月ぐらいまえに、オープンしたのかな」

さっぱり意味がわからなかった。

「その店はどんな業種なんだ」

「最新型のデリバリーヘルス」

携帯電話やパソコンと同じように、デリヘルもモデルチェンジしているようだった。なにもかもそんなスピードで変わらなくても、おれはいいと思うんだが。

「話してくれ」

風がすこし冷たくなってきたようだった。円形広場の石畳を枯葉が走っていく。コウイチはGジャンのまえをあわせていった。

「警察は風俗業者に正規の届出をして、デリバリーヘルスに転向しろって勧めてるんです。責任者の登録をして、ちゃんと税金払えって。それで昔みたいな受付と待合室と個室が全部一体になったような店は違法だって片っ端から摘発してる」

なるほどそれなら税収もあがるし、いざというときには責任者を引っ張るのも簡単だ。警察にも国税にも都合がいいだろう。

「じゃあ、デリヘルなら新規で開店できるのか」

「ええ。だから、資金力のあるところは、『ラブネスト』みたいにビルを丸々買いこんで、一階にフロントをつくり、残りの部屋は営業用に確保したんです。女の子は同じビルのなかに住んでるから、時間の無駄もないし、すごく効率がいいらしいです。先週同じ系列で『ラブハウス』っていうのが新規開店してますから」

「つまんない話だな。結局資金があるやつが勝つのか」

なんだか救われない話になってきた。現代日本はもつ者ともたざる者に引き裂かれているという。その強烈な斥力《せきりょく》は六本木ヒルズだけじゃなく、池袋の風俗街にも押し寄せているのだ。豊かな巨大風俗店とばたばたと潰れていく地場のちいさな店。

「そういう店はどうやって、客集めをしてるのかな」

「なにいってるんですか。マコトさんだって毎日まえをとおってるじゃないですか」

わからないと、おれ。

「だから、最近池袋でもやけに風俗の無料案内所が増えてるでしょ。あんな店や携帯のサイトをつかった集客が多いんです」

「なるほどな、おまえってけっこう役に立ちそうだな」

「兄貴、ありがとうございます」

おれは冷たい金属製のベンチから立ちあがった。尻をはたいていう。

「じゃあ、いってみようか」

コウイチは目を丸くして、おれを見た。

「その無料案内所」

「マジですか、兄貴」

おれは目に力をいれて、じっとコウイチをにらんだ。やつは先に目を伏せる。

「マジ。それとこれから二度とおれのこと兄貴って呼ぶなよ」


そういえば、いり口に半透明のビニールカーテンをさげた無料案内所がやけに増えたような気はしていた。おれは風俗には関心ないし、金もないのではいったことはなかったが、池袋の繁華街なら、一ブロックも歩けば必ず一軒は見つかるだろう。

おれたちは西口公園から一番近い案内所を目指した。ロマンス通りのロサ会館むかいにある店である。ちいさな四辻の角にあるビルの一階が無料案内所で、二階からうえの看板は例によって真っ白だった。

「いくぞ。話はおれにまかせてくれ」

ぬるりとした感触のビニールカーテンをくぐって、店内にはいった。なかはコンビニと同じくらい明るい。隅々まで蛍光灯の明かりで満たされていた。広さは二十畳くらいあるだろうか。壁にはびっしりと風俗店のポスターが張られていた。店の名前とシステム、時間と料金、あとは目線がついていたりいなかったりする若い女の写真がたくさん。制服を着ていたり、下着姿だったり、裸だったりする無数の若い女たちの写真。おれたちのほかに先客は二、三人しかいなかった。

つぎつぎと壁のポスターをチェックしていった。パソコンのＤＴＰが発達して、この程度のポスターなら小部数でも簡単につくることができるのだ。便利な世のなかになったものだ。「ラブネスト」は白い壁の中央の一番いい場所に麗々しく張りだしてあった。周囲を金のテープでかこんであったから、きっと一押しの店なのだろう。

どうやらこの無料案内所は、すかしたブティックと同じ方式のようだった。客の側から声をかけない限り、そっとしておいてくれるのだ。明るい案内所の奥には、胸の高さのカウンターがあった。壁にはワンドリンク無料サービスの文字。安いクラブみたいだ。おれは白いシャツの胸をはだけた茶髪に声をかけた。きっと日サロで焼いた胸が自慢なのだろう。

「あのさ『ラブネスト』って、どう。評判いいのかな」

男はもみ手をするような勢いで寄ってきた。

「お目が高いですね、お客さん。あそこが池袋で今一番ホットじゃないですか。ちょっとお待ちください」

カウンターのしたから分厚いファイルを取りだした。

「壁に張ってあるのは、顔だしＯＫの子だけなんで、ほかにもこんなかわいい子がいますよ。どうぞ」

サービス満点だった。きっとこの案内所へのキックバックも、「ラブネスト」が一番いいに違いない。おれがぱらぱらと厚紙の台紙をめくると、コウイチがうしろからのぞきこんでくる。四枚目か五枚目で、おれはカズミによく似た女の写真を見つけた。サイドが黒いひもになったＴバックで、胸を押さえてこちらに笑いかける女だ。人さし指となか指の二本で乳首だけ隠していた。源氏名はシェリー。受付の男はわざとらしく声を落とした。

「それからね、お客さん。女の子によっては本番もいけますから。部屋にはいったら、交渉してみてください」

わかっているでしょうという顔で、おれにうなずいて見せた。よくわからないが、おれもわかっている顔をした。

「どうしますか。お客さんがこれから店にいくなら、ここから予約しておきますが」

男はすぐにでも携帯電話を抜こうとした。

「いいや、来週の給料日の下見にきたんだ。でも、この店、気にいったよ。とくにこのシェリーって女の子。彼女はいつも店にいるのかな」

男の笑顔は急にテンションがさがっていった。

「ええ、シェリーちゃんなら、毎日でてますよ。ピアノと歌がうまいんで、評判いいらしいです。なんたって指が繊細に動くから」

若い女の指先の天国のトリルを想像した。今度は本気でうなずいて、男に礼をいう。

「ピアニストっていいよな。おれもアルゲリッチとか大好きだ。ありがとう」

受付の男はファイルのなかに今世紀を代表する女流ピアニストの名前を探していた。おれとコウイチが案内所をでようとすると、わざわざ名刺をわたしてくれる。

「なにかありましたら、お電話ください。お待ちしています」

またビニールのカーテンを開いて、夜の街にでた。池袋も、風俗も変わったものだ。

コウイチとはその場で別れて、おれは西一番街にもどった。とはいっても、歩いて数分の近所である。池袋西口の繁華街は、新宿歌舞伎町なんかとは違って、ひどくコンパクトなつくりになっているのだ。

おふくろと交代で晩めしをくって、店番を続けた。夜の売りあげはフェニックスまえよりも四割がたは落ちているのではないだろうか。うちのような零細ストアにとっては死活問題だった。おふくろはフェニックス会で客足が落ちたと何度も訴えたようだが、商店会の幹部は役人の言葉を繰り返すだけだったという。

昔のように街が安全になれば、また客はもどってくる。うちの店の体力がなくなるのが先か、健全な客がもどってくるのが先か、終わりが見えないチキンレースになっていた。副知事は風俗狩り、外国人狩りと勇ましいことをいっているが、いっしょに狩られているのは、古くからある地元の商店もいっしょだった。

おれは携帯でイクミに電話をした。応答はなし。今度カズミの写真をもってくるように留守電サービスに残して通話を切る。長かった一日も時刻はもう十時。フェニックス襲来以降、人出はこの時間で昔の深夜と同じだった。

「あー、この店はまだやってるねー」

店先から独特のイントネーションの声がする。目をあげると、かつての常連客が立っていた。エミーカはフィリピンパブのホステス。ふたサイズはちいさなジーンズは薄いゴムのように形のいい足に張りついている。うえはスパンコールだらけのショートジャケットだった。小柄だが、超絶的なスタイルをしている。

「久しぶり、よくフェニックスにつかまんなかったな」

「だいじょぶよ、すぐ錦糸町に逃げたから。このスターフルーツとマンゴーもらうね。マコト、池袋の調子はどう」

おれはポリ袋にフルーツをつめながらいった。

「変わってないよ。週に二回は、一斉摘発がある。今度はコリアンエステだ、ルーマニアパブだって、噂ばかり乱れ飛んで、みんなびびってる。それより、池袋になんか顔だしてだいじょうぶなのか」

甘いにおいのするポリ袋をわたすと、エミーカは強気で笑った。

「アパートにおいてきた荷物をとりにきただけ。もう池袋はダメだから、錦糸町の店に移ることにしたよ。こっちにいいお客ついていたから、もったいないけど。しかたないねー。でも、わたし不思議なことある。どうして、興行ビザでちゃんと入管に登録してるわたしたちが、お客にお酒つくるだけでつかまるのかなあ。外国人パブに踏みこんで、女の子十人も摘発するなら、極悪の窃盗団やカード偽造団捕まえるほうが、ずっとみんなのためになるよ」

そういわれれば、おれだってうなずくしかなかった。お手軽なところでばかり、成果をあげても実際の治安回復から遠いのは、子どもにだってわかる理屈だ。おれは千円札を受けとり、おつりといっしょにポリ袋のなかにキウイをふたつ落としてやった。

「日本人だって、みんなどこかおかしいって思ってるさ。うちの店もぜんぜん売れないしな。こんなことは長くは続かない。エミーカもがんばれよ」

「マコトもな」

笑って手を振った。形のいい尻が左右にスイングしながら、西一番街を去っていく。こういう風景を見られなくなるのは、国際親善以外にもこの街のおおきな損失だった。


その夜、警察車両は常盤通りにとまった。今度はおれも正確な台数を知っている。灰色のバスが四台だ。噂が流れ、おれは店を放りだして見にいったのである。野次馬が集まっているのは、常盤通りからラブホテル街に一本はいった路地だった。嫌な予感がした。

そこはバブルのころに建てられた古い投資用のワンルームマンションだった。白かった外壁はねずみ色。そのあたりでは有名な外国人専用の物件である。エミーカに注文を頼まれて、おれも一度まだ青いバナナをワンカートン届けたことがあった。

何人かの女の泣き声がきこえた。機動隊員が外国人の女たちをバスに引き立てていく。おれは女たちのなかにエミーカの顔を探した。そのときマンションのうえのほうから、女の叫び声がきこえた。

「なにするのー、離してよ。わたしはフィリピンに帰らないね」

コンクリートの壁はよく声を反射した。すぐ耳元で叫んでいるようにきこえる。

「やめなさい」

男の怒号に続いて、人がもみあう音。それからまた女の悲鳴。その声は、尾を引いて落ちてくる。おれのところからは見えなかったが、ビルとビルのすきまで、ごつんとなにかが地面にぶつかる嫌な音がした。野次馬が叫んだ。

「女が飛びおりたぞ」

急にあたりが騒がしくなった。機動隊が救急車を呼んでいる。赤色灯を回転させて緊急車両が到着したのは五分後。おれは野次馬の背中越しにストレッチャーにのせられ、運ばれていく女を見た。タガログ語でなにか泣き叫びながら、女は救急車にのみこまれた。エミーカではなかった。

安心していると、エントランスから腰縄をつけられた女が胸を張ってでてきた。星形のスパンコールのショートジャケット。エミーカだ。おれと目があうと、ちいさく首を横に振った。おれも同じように無言で返事をした。

数十人の機動隊員が外国人用マンションのまわりをとりかこんでいる。おれには指一本動かせなかった。こんなことは間違っている。そう叫びたかったが、声をあげることさえできない。だが、背筋を伸ばして灰色のバスにのりこむエミーカを見て、おれにもはっきりとわかったことがあった。

誰かがフェニックスをとめなきゃならない。これ以上、おれたちの街を炎上させるわけにはいかないのだ。


翌日はよく晴れた秋空。気温は二十度ちょっとと、なにもなければ爽やかな秋の一日だった。イクミは授業にでるまえに、カズミの写真をおいていってくれた。昼に果物屋を開いて、通りに飛びだそうとすると、店のまえにコウイチが立っている。おれは目を丸くしてやつを見た。おれの格好とほとんど同じだったのだ。ファットなジーンズを腰ではいて、ＸＬの霜ふりのパーカーをかぶる。頭にはカージナルスのキャップ。

「おまえ、どうしたんだ」

コウイチはキャップのつばをうしろにまわして照れた。

「へへへ、今朝この近くの洋服屋をまわって、兄……いや、マコトさんと同じファッションを探したんです。けっこう似あってるでしょう」

おれたちは双子のアイドルか。男同士のペアルックなんて、気味が悪い。

「おまえさあ、もっと自分のポリシーをもてよ」

コウイチはめげずにいう。

「今日はどうするんですか」

「サルとランチ」

おかしな顔をして、やつはおれを見た。

「おまえもくるか」

おれが秋の日のあたる通りを歩きだすと、やつは子犬のように尻尾を振ってついてきた。


約束の店はロサ会館わきにあるイタリアン。夜は流行の個室居酒屋だが、ランチでなかなかうまいパスタをだすのだ。羽沢組のホープは、すでにボックス席にはいっていた。コウイチを見て、怪訝な表情をする。

「そいつが今回の依頼人か」

違うといった。コウイチと豊島開発のもめごとを話すと、サルは大笑いする。

「そうか、マコトもついに舎弟をもつようになったか」

「冗談いうな。こいつは誰の舎弟でもない。それより池上組の話をきかせてくれ。やつらはなぜ、フェニックスの最中なのに池袋でのしてるんだ」

ウエイターがきて、注文をとった。五種類のキノコの和風パスタがみっつ。サルはテーブルに両手を組んでいった。

「それが不思議なんだ。一斉摘発の情報は誰にもわからないはずなんだが、街を歩いていた池上のやつらが姿を消すと、そのあとで必ず灰色のバスがくる。あいつらにみかじめを払ってる店には、摘発がほとんどはいってないしな」

「そうなると、池上はなにか組対部にパイプでもあるんじゃないか。情報が漏れてるのかもしれない」

サルは苦虫をかみ潰したような顔をした。

「だから、オヤジがうるさいんだよ。池上にできて、うちにできないはずがない。組対部に穴を開けてこいって。警視庁直属のエリート連中にそんなこと、誰ができるんだ」

キノコのパスタが届いた。バターとシメジのいいかおり。そのときだった。サルとおれは顔を見あわせた。ただひとりおれが知っているエリートがいる。経歴は瀧沢副知事とまったくいっしょだ。

「礼にいがいた。今度、連絡とってみる。うまくしたら、副知事と話ができるかもしれない」

サルはあまり期待はしていないようだった。

「副知事とマコトか。なんだかめちゃくちゃな組みあわせだな」

サルはそばでもたぐるようにパスタをすすりこんだ。

「うるさい。フォークがあるんだから、ちゃんと巻けよ」

「いいじゃないですか。ここは日本なんだから」

コウイチはそういって、同じように麺をすすった。下品で嫌になる。おれは優雅にパスタを右まわりに巻きとり、やさしく口に運んだ。ボーノ。サルがいった。

「池上のやつらがあまりでしゃばりすぎて、街の裏側はみんなぴりぴりしてる。フェニックスがいるから、ドンパチは避けたいが、このままじゃあ、いつか地元の組織と池上がぶつかるんじゃないか。そのときは豊島開発とうちが手を組んで、おおきなもめごとになるだろう」

「それで氷高さんが、いくらでも金をだすというのか」

「そうだ。組対部の足元で、出入りが起きれば、警視庁は面子にかけてもどっちの組織も潰しにかかるだろう。池上はいいさ。東京の出先だけたたかれても、いくらでも兵隊を送りこめる。だが、この街でしのいでるうちは、たたかれたらそれで終わりだ」

風俗だけではなかった。ヤクザの世界も一強他弱の二極化が猛烈な勢いで加速しているのだ。今の日本のあらゆる場所で起きている断裂だった。サルが氷水をのんでいう。

「なあ、マコト。おまえ、うちの組のために働いてくれないか。うちじゃあ、頭の切れるやつはめったにいない。おまえみたいに、街の裏と表がわかって、いざというときには表の世界になにかものをいえるやつはひとりもいないんだ。そっちのホストクラブ騒ぎにも協力するから、フェニックスと組対部をなんとかしてくれ」

サルがテーブルにつくほど頭をさげた。コウイチが息をのんだのがわかった。こいつは池袋では有名な羽沢組の渉外部長なのだ。

「よせよ、サル。おまえにいわれなくても、フェニックスの件では動くつもりだった。警視庁だか、副知事だか知らないが、この街をよそ者にいいようにされるのは腹が立つからな」

昨夜のエミーカの厳しい視線を思いだした。まだなにができるかわからない。だが、誰かが燃え尽きそうな池袋のためになにかをする必要がある。おれの頭は久しぶりに、猛烈な勢いで回転を始めた。

お見合いパブの仕事にいくというコウイチと西三番街で別れた。ホストクラブ「ブラックスワン」は、エミーカの住んでいた外国人専用マンションのすぐ近くだった。店先を掃いているホストの卵にきいた。

「悪いけど、ダイキさんいるかな」

トウモロコシの穂のような黄色い髪をしたガキが、黙って地下におりる階段をさした。礼をいって、明かりのついていない暗い鏡張りの階段をおりた。地下室の広さは三十畳ほどあるだろうか。花と白い大理石と鏡で埋め尽くされて、窒息しそうな店だった。あまりに金をかけすぎると貧乏に見えるという典型である。数人のホストたちが、店内の掃除をしていた。

「すみません、ダイキさんに話があるんですけど」

暗い顔をしたガキに、また黙ってロッカールームをさされる。ホストってもっと陽気なやつらかと思っていたが、オフではひどく無口のようだ。ドアをノックして、部屋にはいった。ダイキはビジュアル系のバンドの二番目にカッコいいメンバーという感じ。目はでかく、鼻もでかく、唇はだらしなく垂れている。鏡越しにドライヤーをつかいながら、おれにいった。

「なんだ、おまえ、ホスト志願か」

おれでも稼げるかときそうになったが、パーカのポケットからカズミの写真をだした。

「瀬沼和美の家族から、彼女を捜すように頼まれてる。おれは真島誠。あんたが彼女のお気にいりだったんだろう」

一瞬険しい顔になったが、ダイキはふてぶてしくいった。

「ああ、あの困った客か。金もないのに、ドンペリばんばん抜いてな。最近の女子大生にはあきれるよ。頭も股も財布もゆるいんだからな」

やつは営業用のスマイルをおれにむけた。薄っぺらな笑顔。これでだまされる女もいるんだから、世のなかは単純だ。

「カズミがつくった借金っていくらぐらいだったんだ」

ダイキは悪びれずにいう。

「忘れた。二本か、三本くらいじゃなかったかな。よくある話だ」

一本は百万。おれはコウイチからホストの給料についても話をきいていた。ホストのとり分は客の落とした金の半分。風俗嬢に近いシステムだ。ツケの分はホストにまわされるから、客から集金できなければ、赤い数字のはいった伝票が月末にまわってくることもある。やつらのあいだでは、召集令状なみに恐れられる赤伝票だ。

「カズミはそんな金をもってはいなかったはずだ。あんたはどうやって、金をとり立てた」

やつは壁の鏡からおれのほうを振りむいた。にやにやと笑っていう。

「真島とかいったな、いいか。こいつはちっとも違法なんかじゃないからな。正当な商行為だ。おれはさんざん努力したけど、カズミから金を払ってもらえなかった。警察に訴えてもいいけど、それだけは勘弁してくれと、あの女はいった。だからしかたなく、努力して稼いだ債権を業者に売ったんだ。あとのことをおれは知らない。もう関係ないんだよ、あの女とは。おまえも二度とこの店に顔をだすな」

だんだんと絵柄が見えてきた。きっとそいつが、このホストの常套手段なんだろう。債権の買手は、どうせ灰色業者に決まっている。都市銀行がホストクラブの債権なんて買うはずがないからな。

「それで、売り先はどこなんだ。話をしにいってみる」

やつの下品なにやにや笑いはとまらなかった。

「一ツ木企画だ。いくらでも話をしにいったらどうだ。いっとくがあそこのケツもちは、ばりばりの池上組だぜ。おまえの面がぼこぼこにされるところを見てみたいもんだな」

おれは礼をいわずに、ロッカールームをでた。やつのいうとおり、二度とあんなクラブには顔をだしたくなかった。まあ、それはいつだって無理なんだ。

おれたちは二度といきたくない場所に限って、また足を運ぶようにできている。

西三番街の路上にもどると、すぐにサルに電話をかけた。一ツ木企画についてきいてみる。

「また池上系のフロント企業か。あそこも飛ぶ鳥を落とす勢いだ」

おれはホストクラブから街金への債権の流れを話した。担保は若い女の身体で、結局女は自分の身体をつかって借金を返すようになる。うまくできたマグロの養殖基地のようだった。サルはあっさりという。

「マコト、おまえが本気でフェニックスをやるつもりなら、うちのオヤジにかけあって、その女の借金を帳消しにしてやってもいいぞ。金利がついていても、まだ四本か五本なんだろ」

そいつも悪い考えではなかった。だが、おれはあのホストクラブにも、カズミを働かせている最新型のデリヘルにもひと泡吹かせてやりたかったのだ。とくにあのダイキというホストには、なんとか重いペナルティを与えたい。だいたいあんなモグラ顔で、女にもてるというのが許せなかった。

「サル、一ツ木企画と例のデリヘルはどういう関係になってるんだ」

やつは浮かない様子でいった。

「どっちも同じ会社のもちものだ。二十一世紀リゾート。池上系列の企業舎弟だな。半分本業ってやつだ」

「一ツ木企画の場所は」

おれはポケットからボールペンをだして、てのひらに東池袋の住所を書いた。

一ツ木企画は立派なオフィスビルの六階だった。場所は池袋駅の反対側。東口のグリーン大通りに面している。おれはなんのアポイントメントもとらずに、いきなり訪問してみた。無駄足でもかまわない。場所を確かめるだけでも、別によかったのだ。

受付は若い女だった。おれが用件をつげると、パーティションで仕切られた応接コーナーに案内してくれる。冷たい麦茶もだしてくれた。案外まともだ。でてきた男は、いまどき頭を七三にわけた三十代。おれはカズミの話をした。男は何度もていねいにうなずいていう。

「ちょっとお待ちください」

数分でファイルをもって、もどってくる。おれを見て、にこりと笑った。

「確かにそういう名前のお客さまがいらっしゃいます。うちからの貸金は、その男性がおっしゃっているよりもかなり高額になっているようです。最近は個人情報の保護が厳しいので、金額についてはもうしあげられません。ご当人さま、あるいはご家族の正式な委任状をおもちになるか、法律関係のかたにご相談されてはいかがでしょうか」

こんなところにも個人情報保護法の壁がある。ますますトラブルシューター稼業もやりにくくなってきた。

「じゃあ、最後にひとつだけ。ちゃんとカズミさんは借金を返済していますか」

男はファイルに目を落とした。

「ええ、きちんとご返済いただいています」

「毎月何十万も」

「金額はもうしあげられませんが、かなりの額であることは確かです」

おれは笑ってやつを見た。

「デリヘルに紹介して、身体で借金を返させる。この立派なオフィスの家賃が、そうやって払われているなんてね。世のなかはわからないもんですね。じゃあ、また」

おれは顔色を変えた男を残して、一ツ木企画をでた。エレベーターホールの窓には、色づき始めたイチョウ並木が遥か池袋駅まで続いていた。人間たちが愚かに金を増やしているあいだに、秋は静かに深まっていく。

おれも街の裏側ばかりかぎまわっていないで、たまには詩人にでもなりたかった。フロント企業、ホストクラブ、新型デリヘル、一斉摘発なんて趣きのない単語はもうたくさんだった。

翌日おれは店番をしながら、必死に考えた。デリヘルのほうはなんとか打つ手が見つかったけれど、あのホストクラブが問題だった。いっそのこと覆面をしたGボーイズにでも襲撃させようかと思ったが、池上とGボーイズではさすがにタカシのほうに分が悪い。あれからおれが動いたのは二回だけだった。まあ、そのうちひとつは電話だったけどね。

店がひまな昼さがり、あたたかな日ざしを浴びながら、礼にいの登録番号を選んだのだ。池袋署の署長はおれの幼なじみで、何度か手柄を立てさせてもいる。むこうは東大法学部で、おれは地元の工業高校卒だが、学歴にかかわらずガキのころから妙にうまがあったのだ。

「マコトか。なんだ」

最初からいらついた声だった。

「ちょっと今、いいかな」

「三分やる」

ちぇ、カッコつけちゃって。おれは早速本題にはいった。

「礼にいのほうには組対部の摘発情報って、はいってくるのか」

キャリア官僚はめずらしく舌打ちした。

「おまえもそんなことといってるのか。うちの署でも、みんなカリカリきてるんだ。組対部は本庁直属でな、こっちには摘発がおこなわれる直前に知らされるだけだ。人づかいは荒いのに、なんの情報もくれない。所轄はただの手足だと思ってるんだろうな」

「ふーん、でもおかしな噂が飛んでる」

「フェニックスが始まってからこのかた、噂なら毎日何十となく飛んでるさ」

「そんないいかげんなやつじゃないよ。これは羽沢組の幹部からの情報なんだ」

一瞬の間が空いた。池袋署署長が真剣になったのがわかる。

「マコト、話してみろ」

「どんな方法か、なぜかもわからない。だけど、池上組には組対部の摘発情報が事前に漏れているらしいんだ。灰色のバスがくるまえに、池上の男たちは通りから消えるし、店はシャッターをおろすらしい」

「なるほどな。だが、組対部のフロアには本庁から百人も捜査官が出張ってるんだ。そのうちの誰かから情報が漏れるのは、望ましいことじゃないがやむを得ないんじゃないか」

「そうかな。だって、所轄も機動隊も直前までターゲットがわからないんだろ。だったら、組対部でも手いれ先はトップシークレットのはずじゃないか。下っ端の捜査官が簡単に流せるようなネタじゃないはずだ」

しばらく沈黙が続いた。こういうときの礼にいはとんでもないスピードで頭をつかっているのだ。おれは黙って考えるままにまかせた。ようやく若き署長がいった。

「確かにおかしいな。こちらでも内偵させてみる。マコト、おまえ、なかなかセンスいいぞ。今からでも遅くない。警官にならないか」

勘弁してくれといった。生活安全課の吉岡に口説かれて以来、二度目のスカウトだ。だが、おれには制服も制帽も似あわない。

「そんなことより、瀧沢副知事って、どういう人」

礼にいは素直にいう。

「たいした人だ。大学の四年間ずっと首席で、警察庁へ入るときの国家公務員試験でもトップクラスだった。切れ者とか凄腕とかいわれる人はけっこういるが、あの人ほどの切れ味は見たことがない。おれも一時期、瀧沢さんのしたについていたことがあったんだ。よく頭の鋭いやつのことをカミソリっていうだろ。だけど、あの人についたあだ名はカッターだった。それも刃先にダイヤモンドを埋めこんだやつな。切れないものはないダイヤモンドカッター、それが瀧沢先輩だよ」

とんでもない相手のようだ。おれは感心していった。

「それで、いまや次期都知事候補ナンバー1だもんな」

警視正はそこでため息をついた。

「いいや、そのまえは次期警察庁長官だったんだ。だが、ちょっとしたもめごとがあって、その目がなくなった。そうでなければ、いくら現職の知事に口説かれても、先輩が警視庁を辞めることはなかっただろう」

おれは演壇のうえの瀧沢を思いだした。どこにも影のないクリーンな色男のイメージしかない。

「トラブル？」

「ああ、これは極秘だぞ。先輩の奥さんはキャバクラのホステスだったんだ。自分がいたら出世の邪魔になるといって、自動車で自損事故を起こしてな。自殺未遂だ。それでバツがついちまった。マコト、おまえも役所のなかのことはすこしはわかるだろう」

わかる。たったひとつのバツで、エリートの未来は閉ざされる。究極の減点主義だ。

「そうだったのか」

「だから、あの人は風俗街の掃討作戦にあれほど熱をいれてるのかもしれないな。不幸な女性をひとりでも減らしたい。おれは今度のフェニックスの理由は、案外単純なんじゃないかと思ってる」

西一番街の狭い空を見あげた。ベタ塗りの淡い青には雲のかけらも浮かんでいなかった。空はただ青いだけなのに、なぜときに悲しく見えることがあるのだろう。詩人マコト。

「礼にいはたまに副知事に会ったりしてるのか」

「定例の会議で顔をあわせるよ。だけど、個人的に話をしたのは、警視庁を辞めてからはないな」

「でも、個人的な連絡先は知ってるんだろ」

署長は苦笑していった。

「まあな、でも絶対おまえには教えない」

おれも笑って電話を切ろうとした。そこで思いついてきいてみる。

「ホストクラブのトラブルで、池袋署に問いあわせが多いのってなにかな」

礼にいは鼻で笑った。

「おまえなあ、おれは犯罪社会学者じゃないんだぞ。いいようにつかいやがって。いいだろう。教えてやる。一番多いのは未成年者の客に関するトラブルだ」

ビンゴ。未成年者のひと言で、おれの頭のなかにぴかぴかのプランが浮かんだ。あのダイキとかいう間抜けなホストをぼろぼろに沈めるアイディアである。おれは衆人環視の歩道のうえでステップでも踏みたい気分だった。十数時間も考えあぐねていた問題に一瞬でけりがついたのだ。

おれは携帯に叫んだ。

「礼にい、ありがとう。おかげで、どんぴしゃの作戦が浮かんだよ。今度のむときは、おれのおごりだから。いくら高いクラブでもいいよ」

「なにいってるんだ、マコト。おまえ、おかしくなったんじゃないか」

おれがおかしくなったのは当然だった。なぜなら、ホストクラブ「ブラックスワン」を沈める作戦が、その後フェニックスを撃ち落とす大手柄につながっていったのだから。そんなことは、その時点では誰にも想像できなかっただろう。このおれだって、そこまで先のことなど考えてはいなかった。

なにせ礼にいとの通話を切って考えていたのは、清純派の妹・イクミのことである。あの子といっしょに東京芸術劇場にききにいくなら、どんなピアニストがいいかな。どうせなら、飛び切りうまい演奏家で、モーツァルトの奇跡みたいに単純なピアノソナタでもききたいな。秋の空のした、ロマンチックな夢想にふけっていたおれが、一週間後には池袋の街全体を炎の翼で包みこむあのフェニックスを地上につなぎとめたのだ。

なあ、人生ってわからないだろ。


その夜、おれは噴水のとまったウエストゲートパークで、ひとり待った。公園をとりかこむネオンサインは秋風に濡れたように冴えている。東京芸術劇場の大屋根は、切り立ったガラスの滑走路となり、星のない東京の夜空に続いていた。

「よう、久しぶりだな」

RVのサイドウインドウが音もなくおりて、タカシの冷たい声がした。同じ氷点下でも、マイナス三十度と二十五度は違うよな。池袋の王様はほんのすこしだけ温度感をにじませていった。

「のれよ。この秋最初の仕事だな」

おれははしごにでものぼるように、メルセデスの巨体にのりこんだ。Gボーイの運転するRVは、JR池袋駅を周回するようにゆっくりと街をクルーズしていく。西口公園から警察署の角を曲がり、ビックリガードへ。

「タカシのところには、フェニックスの影響はないのか」

明治通りの交差点には、まだ長いラーメンラインができていた。無敵家と光麺の行列だ。タカシは街に目をやったままいう。

「おれたちにはあまり関係ないな。風俗をやってるわけでも、外国人をやとってるわけでもない。Gボーイズは白でも黒でもなく灰色だ。警察にもヤクザにもよく見えないんじゃないか。街の陰にまぎれてな」

ボーイズ＆ガールズのことを考えた。やつらのいかれたカジュアルファッションは都市型迷彩服のようなものかもしれない。コンクリートとガラスに溶けこむ街のゲリラのユニフォームだ。

「用件はなんだ」

まだ十月なのに気の早いクリスマスの飾りつけがあちこちに見えた。年中発情した若いカップルが、やけにたくさん歩いている。

「女を貸してほしい」

驚いた目で、池袋の街の王はおれを見る。

「なんだ事件じゃないのか。マコトもとうとうおれに女の斡旋を頼むようになったか。わかった。飛び切りのを紹介してやる。おまえの好みは」

「未成年の女。それで……」

タカシはあきれてこちらを見る。おれはキングをからかってやった。

「できれば、よく似た大人の姉貴がいるなら文句なしだ」

シッとちいさく息をはく音がして、タカシの左こぶしがおれの頬骨の手まえでとまった。遅れてきた風が前髪を揺らす。

「なんかの事件なんだろ。ふざけるな」

おれは肩をすくめて、ホストクラブ「ブラックスワン」の話をしてやった。音楽大学のピアノ科の女学生が借金をふくらませて、今は新型デリヘルに半分監禁状態になっている。ホストは債権を街金に売り、街金は女を風俗店に送りこみ、身体で回収する。街の裏側の古典的な物流システムだ。

腕を組んで夜の街を見ていたタカシが口を開いた。冬ものの白い革のジャケット。嫌味な王様はいう。

「それで、どうして未成年のGガールが必要になるんだ」

ドイツ製のRVは池袋大橋をわたっていた。陸橋の両側はデパートやラブホテルの崖になっている。頂上がネオンサインになった華やかな夜の山脈だ。

「おれはホストクラブにも、ダイキとかいうホストにも、ペナルティをあたえてやりたい。そのために女たちが必要だ」

「何人いる?」

「とりあえず四人くらい。それとさっきの成人した姉がいるというのも、本気だからな」

タカシはまるでわからないという顔をした。

「説明は女といっしょにまとめてするよ。それより、Gボーイズでもいつも世話になっている弁護士とかいるんだろ」

タカシはあたりまえのようにうなずいた。

「じゃあ、その弁護士も紹介してくれ」

笑いながら王様がいった。

「おまえにはあきれたよ。女たちはいつ集める」

常夏浴場スイカという名の店をとおりすぎた。信じられないネーミングセンス。こんな名につられて来店する男たちがいるのだろうか。

「明日の夜から、作戦開始だ。女たちには、必ず姉貴の保険証をもってくるようにいっておいてくれ」


つぎの夕方、おれたちは西口のビッグエコーに集合した。おおきめの個室には、四人のGガールズ。ぴちぴちにタイトなジャージや尻の半分が見えそうな超ローライズのジーンズ。チェックのマイクロミニは足のつけ根も隠していなかった。まもなく冬だが、全員露出度だけは満点のファッション。とうてい未成年には見えない女たちばかりだった。

「いやー、めちゃうれしい、タカシさんが呼んでくれるなんて」

女たちはおれを無視して、ボディガードを両脇にはべらせたタカシをむさぼるように見つめていた。考えてみたら、おれは目から星を飛ばして女に見られたことはない。人間は生まれながらに不平等だ。おれはちいさなミラーボールの回転する個室でいった。

「こっちに注目してくれ。みんな、保険証はもってきてくれたか」

Gガールズはごそごそとおもちゃのようなショルダーバッグからカードを抜きだした。

「ちょっと貸してくれ」

おれはチビジャージの女の保険証をとった。へそには銀のピアス。

「草野恵梨香、二十一歳か。そっちの名前と年齢は」

へそピアスの女は、なぜかきゃーきゃーと笑いながらいった。

「美智香、十八でーす」

全員の保険証と名前を確認していく。タカシは田舎芝居でも見るように、足を高く組んで澄ました顔をしていた。

「いいだろう。じゃあ、Gボーイズから仕事の依頼だ。今夜はこれからホストクラブにいってもらう。西三番街にあるブラックスワンという店だ。ふたりひと組でいいだろう」

ホストというだけで、若い女たちが騒ぎ始めた。

「一度いってみたかった」

「すごいタイプだったら、どうしよう」

へそピアスのミチカだけが冷静だった。

「でも、うちらにはお金ないけど、どうやって払うの」

いい質問をするいい生徒だった。おれはにっこりと笑っていってやる。

「金なんて払う必要はない」

えー、無銭飲食じゃんと誰かが叫んでいた。通報されちゃう。

「いや、通報されることはない。なんといっても、未成年者に酒をのませたんだからな。警察に届ければ、逆に指導を受けて、しばらく店を閉めなければいけなくなる」

じゃあ、遊んだ分だけ得するじゃん。ミチカのへそピアスがミラーボールの明かりを受けて光った。

「でも、むこうはなにかいってくるでしょう」

おれはタカシにうなずいた。やつがあのクールな声でいう。

「うちの弁護士に話はとおしてある。話が直接おまえたちにいくことはないし、弁護士の費用もわずかな慰謝料もGボーイズがもつ。おまえたちは思う存分羽を伸ばしてくるといい」

黄色い歓声がカラオケボックスを満たした。おれがあとを受けた。

「いいか、ダイキというホストがいる。店にはいったら、やつを指名してくれ。あとはなんでもいいから、一番高い酒をあけるように。ドン・ペリニヨンとかな。ピンクでもゴールドでもいいぞ」

頭のネジの抜けたGガールが騒いでいた。

「えー、ピンドンでも、ゴードンでもいいんだ」

おれはテーブルのうえにあった無料サービスのウーロン茶をのんだ。こいつはただだが、一杯で十万もする酒もあるのだ。夜の街の不思議。飛び交う赤伝票を想像した。ついでにダイキのモグラ顔が泣き崩れる様子も。笑いながら、いってやる。

「なあ、みんな、Gガールは男たちを盛りあげるのが、最高にうまいんだろ。どっちのチームが、たくさん金をつかえるか勝負してみろよ。額の多かったほうは、タカシからキスのプレゼントがあるそうだ」

いやー、どこに、どこに、困るー。タカシは苦笑して、こちらを見ている。

「望むところに。さあ、おまえたち、ブラックスワンを沈めてこい」

Gガールズがいなくなったあとで、タカシはいう。

「おまえには、毎回あきれるよ。いっとくが、おれは誰にもキスなんてしないからな」


送りだしたのはいいが、やはり女たちのことが心配だった。おれはコウイチといっしょに、約束の午前一時に西三番街で女たちを待った。へべれけになったGガールズが、鏡の階段をのぼってきたのは、約束を三十分もすぎたころだった。肩を抱いたり、手をつないだり、髪をなでたり。別れ際のホストというのは、やけにサービスがいいものだ。

「じゃあ、またねー」

女たちは手を振っている。ふわふわと空中をただようような足どりで、おれたちのほうにやってきた。ミチカがおれに気づいて、にやりと笑った。

「マコトさんのいうとおりだった。今夜は初回だから、金を払うのはまだ先でいいって。みんな、びっくりするくらい調子よかったよ」

店側はずっぽりと女たちをはめる気なのだろう。ツケをためさせ、回収は池上組のフロント企業の街金にまかせる。店への借りは、でかければでかいほどいいはずだった。ほかの女がいう。

「あんまりたのしくて、ほんとにはまりそうだよ。超やばくなーい」

コウイチはおれと同じキャップをかぶって、首を横に振った。おれはいう。

「いいか、こいつはキングから依頼された仕事だ。この件が終わって、ホストクラブにはまっても、おれは面倒みないからな」

四人のGガールズは、ひと気の絶えた西三番街の路上でモデル立ちして、うわ目づかいにおれを見た。

「でも、しばらくは思い切り遊んでいいんだよね」

とんでもない道楽を教えてしまったのかもしれない。おれはしぶしぶうなずいた。

「まあな」

最高、うれしー。フェニックスで壊滅状態の夜の街に歓声があがる。女たちはいつだって貪欲だった。それには成年も、未成年も関係ない。


あれこれと仕かけを考えて、明け方に横になった。BGMはもうききあきてしまったストラヴィンスキーの『火の鳥』だ。昼近くに目覚めて、店をだす。買いだしを勝手に休んだので、おふくろがなにか文句をいっていたが、おれは相手にしなかった。

敵もこちらがなにか新しいトラブルを抱えているのに気づいていたのだ。だが、おれの裏稼業はすくなくとも、この街のためにすこしは役に立っている。それはさすがのおふくろでも理解してくれるはずだった。

テレビを見ながら、昼めしをかきこんだ。昼間の番組って、びっくりするくらいつまらないよな。地元のメトロポリタンテレビにあわせると、通販番組が終わってニュースが始まった。いきなり映ったのは、瀧沢副知事である。夜のサンシャイン60階通りを、白いウインドブレーカーを着て視察していた。周囲にはボディガードがびっちり。ビデオカメラにむかって、瀧沢が鋭い視線をむけた。

「池袋の治安回復は順調にすすんでいます。フェニックス計画は、地域住民の協力もあって、街から犯罪や危険を画期的に減少させています。見てください。怪しい呼びこみや、子どもたちに見せられないキャッチの外国人女性もいなくなった。夜の池袋がこんなに安全できれいになったのは、戦後初めてのことです」

カメラは横に振られて、ほとんど無人の通りを映しだす。キャッチがいないだけでなく、街を歩く客さえわずかになっていた。フェニックスは高い空から枯葉剤でも撒いたようだ。池袋の街が裸にされている。

「ちょっといってくる」

おれはおふくろに声をかけ、返事を待たずに階段を駆けおりた。フェニックスにできることなどなかったが、じっとしていられなかったのだ。まずイクミの依頼を片づけよう。おれは目のまえにある仕事に集中することにした。おれたちにはみな、それ以外になにもできることはない。

前回顔をだした無料風俗案内所で、「ラブネスト」に予約をいれてもらった。当然、指名はイクミの姉のカズミだ。源氏名はシェリー。カズミはなぜか予約が混みあっているらしく、九十分待ちだといわれた。最新型のデリヘルは、なかなか盛況のようだった。おれたちはなぜ一番でかいもの、一番新しいもの、一番流行っているものが好きなのだろうか。時間があまったので、携帯をつかった。サルの声はぴりぴりしていた。

「なんだよ、マコト、こっちはいそがしいんだ」

おれはわざとのんびりいってやる。

「このまえサルが話した件だけど、池上組のフロント企業の勢いをとめることができたら、ちゃんと報酬がもらえるかな」

サルは一瞬考えたようだった。

「ああ、はっきりと効果があるような手をおまえが打てたならな」

「『ラブネスト』が閉まったら、どうだ」

羽沢組の渉外部長の声が一段おおきくなった。

「文句なしだ。だがな、あそこは組対部だって手がだせないんだぞ。どうするつもりだ」

予約の時間まではまだまだ時間があった。おれは昼間のさびれたロマンス通りを眺めながら、サルに謎々をだした。

「警察は組関係や風俗店には強いよな。じゃあ、やつらが弱いのは、誰だ」

「マスコミか」

「いいや、違う。やつらがほんとうに弱いのは、おれたちみたいな一般市民だよ。普通の人間の声がまとまったときが一番弱いのさ」

「それで、おまえにはなにか考えがある」

「まあな。これから愛の巣に潜入してくるよ」

サルが電話のむこうで笑っていた。

「おまえといるとあきないな。金の心配はしなくてもいい。存分にやっつけてこい。オヤジにはおれから話をとおしておく」

ありがとうといって、通話を切った。なあ、もつべきものは、いじめられっ子の同級生だよな。いい子のみんなも、いじめられっ子とはなかよくしておくように。なにせ、そいつがいつ暴力団で出世するかなんて誰にもわからないからな。


「ラブネスト」はロマンス通りのつきあたりにある七階建てのビルだった。遥か以前は焼肉屋やクラブがはいっていたが、不景気ですべての階が風俗店になった。そのヘルスビルを池上組系列のフロント企業・二十一世紀リゾートが買い取って最新型のデリヘルに改装したというわけ。池袋の繁華街にあるビルには、みんなそれぞれの歴史がある。まあ、やけにおしぼりやローションなんかが消費される歴史なんだけど。

一階にあるフロントの小窓のむこうにおれはいった。

「予約した真島だけど」

「はい、お待ちしていました。シェリーさんですね。今、お部屋の準備をしますから、ロビーでお待ちください」

フロントまえのロビーは広く、オープンカフェのようにテーブルセットがならんでいた。エレベーターのわきではちいさな噴水が涼しげな水音を立てている。待ったのはせいぜい六、七分だったと思う。体感時間は二時間くらいに感じたけどね。

「お客さま、どうぞ。５０６号室になります」

フロントで鍵を受け取り、エレベーターにむかった。タイミングよくドアが開いて、おれがはいろうとすると、なかから男が飛びでてきた。チャコールグレイのスーツの三十代。髪は銀行員のようになでつけている。おれと肩がぶつかって、手にしていたノート型パソコンを落とした。がしゃんと派手な音がする。

「気をつけろ」

おれのほうを見ずにそう叫ぶと、男はあわててパソコンを拾いあげた。傷ついていないかどうか確かめている。

「壊れていたら、弁償させるぞ」

面倒なおたくとトラブルを起こしてしまった。せっかくこれからカズミと話をしにいくのに最悪のタイミングだ。おれはしかたなくいった。

「悪かったな。でも、そっちもおれのほうを確かめずにおりてきたよな」

「うるさい。おまえ、名刺はもってないのか」

あいにく生まれてから一度も名刺などもったことがなかった。男はポケットから自分の名刺をだすといった。

「そこに携帯電話の番号と名前を書いてくれ。なにかあれば、あとで連絡する」

おれは男のもっていた水性ボールペンで、本名と番号を書いた。男はすぐに自分の携帯で、おれの電話番号を打った。おれのジーンズのポケットで、エチケットモードの携帯がうなりだした。男はにやりと笑うと、もう一枚の名刺をおれにさしだした。

「番号はでたらめじゃないようだな。わたしは、こういうものだ」

おれは名刺に目をやった。㈱二十一世紀リゾート　総務部長　梅中司郎。親会社の人間が現場の視察にでもきたのだろうか。

「急いでいるから、また」

おれは男の灰色の背中を見送った。中年太りの始まりかけた丸い背中が妙にせかせこと遠ざかっていく。最近はノートパソコンなど安いものだった。なかのデータさえ失われていなければ、弁償といってもたいしたことはないだろう。あらためてエレベーターにのりこむときには、おれは梅中という男のことなど、すっかり忘れてしまった。


とんだケチがついたが、５０６号室の鍵を開けるときには、気分は完全に初めて風俗店に足を踏みいれる客になっていた。別にカズミとなにかするわけではないのだが、妙にあせるものだ。ゆっくりと鍵を開け、スチールの扉を引いた。

「お帰りなさい、ご主人さま。シェリーに、なんなりとおもうしつけください」

狭い玄関の奥で、黒いメイド服を着たカズミが三つ指をついていた。このデリヘルはコスプレもありだったのか。ドアノブをにぎったまま凍りついていると、メイドがいった。

「おはいりください。鍵を開けたときから時間のカウントは始まってますよ」

妹によく似た姉だった。黒のメイド服と黒ぶちメガネのせいで、イメージはだいぶ違うけれど。おれは昔ながらのバスケットシューズを脱いで、部屋にあがった。ごくあたりまえのフローリングのワンルームの中央には、キングサイズの巨大なベッドがおいてある。壁際に寄せられたソファは子ども用かというおおきさで、てかてかの白いビニール製だった。

「おれは真島マコト、今日は客としてきたわけじゃない」

ポケットからイクミの写真をだしながら、ソファに腰を落とす。カズミの顔色が変わった。

「また、あの子か。もういいかげん放っておいてもらいたいんだけど」

カズミはベッドで足を組んだ。小バラの模様が浮きでた黒いストッキング。足の形はいいようだ。

「どうしてだ。こんなところで天職でも見つかったのか」

カズミはメガネ越しにキッとおれをにらんだ。おっかないメイド。

「うるさいよ。よその家のことなんて、関係ないあんたにはわからないだろ。あの子はちいさなころから、なんでもわたしの真似をした。おまけになにをやっても、わたしよりも上手だったんだ」

ポシェットからタバコを抜いて、深々と吸う。メイドは天井にむかって、細い煙を吹きだした。

「それでダイキみたいなホストのくずにはまった」

カズミは虫でも見つけたようにおれを見た。

「あんな男はどうでもいいの。音楽が好きだといっても、Jポップのヒット曲しか知らなかったし。わたしにとってピアノは、生まれて初めて真剣になったものだったんだ。五歳から始めて、そのとたんにわかった。この楽器は自分のためにあるんだって。何時間練習しても苦にならなかった。ピアノの先生や親から、練習禁止っていわれるくらいだった。それ以上やったら手を壊しちゃうって。おおきなコンサートホールで、ショパンやリストやラフマニノフを弾く。田舎の小学生の女の子の夢だったんだよ」

カズミは安っぽい白いクロス張りの壁をむいてそういった。

「そうか。おれもショパンの前奏曲やリストの『巡礼の年』なんかは好きだよ」

ちらりと横目でおれを見て、黒いメイドはいった。

「イクミがピアノを始めたのは四歳だった。結果はお絵かきや算数や英語と同じ。あの子はなにをやっても半分の時間でわたしよりも上手くなる」

またタバコの煙を吹きあげた。手のなかで銀のライターを転がしている。髑髏《どくろ》のレリーフがついたワイルドなやつ。おれの視線に気づいたようだった。

「ふふ、これはあのダイキとかいうホストからいただいちゃった。あんなに高いのみ代をふっかけるんだから、これくらいいいよね」

おれは肩をすくめた。こいつのまえではあまり高価なものはだしておかないほうがいいかもしれない。

「うちの音大って、コンクールに出場するには教授の推薦がいるんだ。この夏に選抜試験があってさ、わたしは落ちて、あの子は受かった。そのあとで先生にいわれたよ。そろそろコンサートピアニストではなく、別な生きかたを考える時期なんじゃないかって。『ブラックスワン』に初めていったのは、その日の夜だったな」

十五年以上胸に秘めていた夢を、誰かに決定的に砕かれる。それもその誰かは、実の妹だったのだ。才能と適性で圧倒的な差があったのだろうか。つくづくおれはピアニストでなくてよかったと思った。果物屋の店番もトラブルシューターも、誰かに才能ないから辞めろなんていわれないもんな。おれはカズミの目を見てゆっくりといった。

「ピアノをあきらめたからって、このまま風俗嬢でいいと思ってるわけじゃないだろ。今はまだ最初の一歩だから引き返せる。でも、このままいくと風俗のくだりエスカレーターにのっちまうぞ。どこかの田舎の駅前ソープで一生を終えるつもりか」

この業界では女は若いほど価値が高い。経験や成熟など必要とされない世界なのだ。金銭感覚がいったん狂えば、その後はよりハードに身体を酷使する風俗の深みに落ちていくしかない。それでも若いころのように稼ぐのはむずかしいだろう。男たちの欲望に仕えるだけの果てしないアリ地獄だ。

「そんなことはわかってるよ。でも、どうすればいいのさ。借金はいくらだかわからないくらいあるんだよ」

おれは話を変えた。ここからが本番だ。

「ここにはあんたみたいな女が何人かいるのか。『ブラックスワン』の質流れみたいなさ」

カズミはうなずいた。

「うん、わたしが知ってるだけでも、五人くらいいる。待合室は大部屋だから、よく話すんだ」

「そうか。ここのデリヘルでは本番もありだってきいたんだけど」

うんざりした顔でカズミはいった。

「どの客も最初にきくのはその話だよ。女の子が勝手にやってるって口でいいながら、会社のほうでは積極的にすすめてるみたい。そっちのほうが稼げるし、借金も早く返せてすぐに自由になれるって。でも、ここの部屋代とか食費とかけっこう高いから、いつになったらでられるのか誰もわからないんだ」

裏の世界では昔からある手だとはいえ、悪質なことに変わりはない。最新型のデリバリーヘルスというのは、ほとんど人身売買と同じシステムだった。

「なあ、その五人のなかに信用できるやつはいないか。証言はひとりよりも、ふたりのほうがいい。このデリヘルがやっていることは、ちゃんと警察に届出していようが、完全に違法なんだ。うまくすれば、すぐにあんたたちを自由にしてやれる」

売春の斡旋と利息制限法の上限を超えた高利の貸金。警察が「ラブネスト」と一ッ木企画に手をいれるには十分な理由のはずだった。ただし、頼るルートを間違えてはいけない。今の池袋の警察は、警視庁直属の組対部と所轄の池袋署に分かれてしまっているのだ。大切なのはタイミングとただしいルートだった。

そのあとおれはカズミとさらに一時間打ちあわせをして、九十分の制限時間ぎりぎりに最新型デリヘルを離れた。


数日後の真夜中、おれとコウイチは西三番街の深夜喫茶で女たちを待っていた。四人のGガールズは毎晩「ブラックスワン」で豪遊している。おれたちがいたのは、懐かしのインベーダーゲームがテーブル代わりになった昭和の店だった。どえらい対照である。

Gガールズがやってきたのは、深夜の一時半すぎ。マイクロミニの太ももの奥までのぞかせて、女たちはどさりとクッションのきいたソファに座った。パイソン柄のワンピースがいった。

「どんなに高いドンペリもすぐに慣れちゃうもんだね。もうぜんぜんおいしいとは思わないもん」

十代でそんなに高い酒の味を覚えて、こいつらの将来はだいじょうぶだろうか。ちょっと心配になったところで、ミチカがいった。

「マコトさん、いよいよきたよ。まとめてツケを払ってくれって、あのモグラがいってきた」

「金額は」

「よくわかんないけど、ひとりあたり三百万くらいじゃないかな」

四人合計で千二百万円。ダイキは一ツ木企画というルートで回収できると踏んで、いくらでも未成年の女たちに金をつかわせたのだろう。だが、いくら最新デリヘルでも未成年を働かせることはできなかった。やつには出口なしだ。

「じゃあ、明日から手はずどおりにな。ダイキの携帯に電話をいれて、金は払えないという。あの保険証はお姉ちゃんので、自分はまだ未成年だと。連絡先にはGボーイズの弁護士の番号を伝える。わかったな」

女たちがのんだ半額の六百万は、ダイキ自身が店側に借りる借金になる。ほんの数日で目をむくような債務を背負う。モグラ面のあのホストも、店にはめられた女たちの気もちがすこしはわかるようになるだろう。コウイチが感心していった。

「やっぱり、兄貴はすげえや。よくこんな絵が描けますね」

そんなことをいってくれるのは、いつも男だけだった。Gガールズは池袋の王様から、どこにキスをしてもらうかで勝手に盛りあがっている。苦労したおれはバカみたい。天才とそうでない人間の差。おれにもすこしだけカズミの気もちがわかった気がした。


ダイキに足りない頭で考えさせるために、さらに数日ほどじらしてやった。そのあいだ、おれは携帯でカズミと連絡をとりあい、わが家の最終兵器とも打ちあわせを重ねた。この武器はあまりに危なすぎるので、めったにつかうことはないのだが、今回の獲物は池袋の空をゆくフェニックスと京極会池上組だ。さすがのおふくろでも、相手にとって不足はなかった。まあ、おれの印象でいえば、池上組とうちのおふくろなら、ウエイトからいってもほぼ同じ階級だ。きっといい勝負をしてくれることだろう。

おれは果物屋の店番を続けながら、じっくりとただしいタイミングがくるのを待っていた。こんなときの店番は意外にたのしいものだ。ストラヴィンスキー、プロコフィエフ、ショスタコーヴィッチ。三人のロシアの作曲家のヴァイオリン協奏曲を順番にかけたりする。おれが一番好きなのは、ショスタコの一番。あのパッサカリアには地獄の業火《ごうか》のうえで踊るようなソロがあるよな。あいつは焼け落ちる池袋の街に、まさにぴったり。だが、消えない火はないし、永遠に飛び続ける鳥もいない。

おれの作戦はうまく運ぶはずだった。問題だったのは、目標点を越えてうまく運びすぎてしまったところにある。


Xデイは夕方から池袋フェニックス会を控えた金曜日。

おれはおふくろに目配せして、店をでた。時代劇なら火打石で送ってくれるのだろうが、おふくろの目にはあの火花に負けない闘志があふれていた。まあ、店の売りあげが四割も落ちているので、恨み骨髄なのだ。

西三番街まで、歩いて四分ほど。このまえと同じ金髪の安ものスーツのガキが、ブラックスワンのまえを掃き掃除していた。おれは慣れた調子で、声をかけた。

「よう、ダイキさん、いるかな」

ガキは無言でうなずき、地下におりる鏡張りの階段をさした。あい変わらず無口なやつ。これでホストが務まるのだろうか。

「この二、三日あの人かりかりしてなかったか」

初めてガキは目をあげた。

「ひどいっすよ。まえはあんなにしたの者に指導することなかったのに。おれもずいぶんなぐられました」

おれをダイキの知りあいだとでも思ったようだった。

「そうか、おれからいっといてやるよ」

「おすっ」

ホストは外見こそきらきらしているが、意外と体育会系なのだった。階段をおりて、地下の箱へ。おれは誰にも挨拶せずにロッカールームにむかった。誰かがなにかを蹴飛ばした派手な音がする。おれはドアから顔だけのぞかせていった。

「ダイキさん、いるかな」

モグラ顔がこちらを振りむいた。正面にはガキがひとり正座している。

「なんだ、おまえ、二度とくるなといっただろうが。おまえなんかに用はない」

最初のひと言から額に青筋を浮かべていた。そうとう切羽つまっているようだ。おれはとっておきの笑顔をつくった。これでホストクラブからスカウトがこないものだろうか。

「未成年の女四人があけた穴のことで話があるといってもか」

ダイキのモグラ面が変わった。初めて太陽でも見たように目を細める。おれはいった。

「外のほうがいいだろう。顔貸してくれよ」


おれたちはぶらぶらと常盤通りを抜けて、客のはいっていない純喫茶にはいった。ドアが紫色のガラスになっているような、昔ながらの店だ。ホットココアとアイスコーヒーをはさんで、話し始めた。

「なぜ、おまえがあの女たちのことを知ってるんだ。ただじゃおかねえぞ」

おれは手をあげて、ココアをすすった。

「ちょっと待てよ。そんなことがいいたいなら、おれの雇い主にいってくれ。頭からトラブルにはまってるのは、おまえのほうだろうが。おまえは手をだしてはいけない女に手をだした。城北音大のピアノ科の女を覚えてるか」

やつはなけなしの脳みそを絞っているようだった。じれったくなっていう。

「おまえが債権を一ツ木企画に売った女だ。今は『ラブネスト』にいる」

「ああ、このまえおまえがきたときに話してた女か。それが、どうした」

おれは声をひそめて、やつのほうに身体をのりだした。

「あの子のおやじさんは、和歌山でやばい仕事をやってるそっちの筋の人間だ。今度、娘をとりもどしに子分を連れて池袋にのりこんでくるそうだ。手をまわしてあの未成年のガキを送りこんだのも、その人だ」

でたらめな話ばかりだったが、これくらい単純なほうがダイキにはわかりやすくていいだろう。

「おやじさんはおまえを沈めるために、もっと女を送りこめといったが、おれは反対した。そんなことをしても、おまえがひとりで損をかぶるだけで、店は痛くもかゆくもないからな。それは『ブラックスワン』も『ラブネスト』も同じだろ。おまえは汚い仕事だけさせられて、結局は赤伝票をつかまされる」

ダイキはテーブルのうえでこぶしを強くにぎった。六百万の赤伝票。それは売れっ子のホストにだって、重い数字のはずだった。ダイキは絞りだすようにいった。

「おれ、この仕事を始めてまだ一年にならないんだ。くそっ、今度の四人のおかげで、ようやくうちの店のナンバー1が見えてきたところだったのに。どうすればいいんだ。おれには借金はあっても、貯金なんてないよ」

「そうか。店のほうはどうなるんだ」

「半年は給料なしで働き続けることになるだろう。ホストのなかでも最低ランクに落ちぶれる。開店まえは毎日掃除だ」

おれは目を真っ赤にしてしょぼくれている若いホストを見た。ゆっくりと間をおいていう。

「じゃあ、ホストクラブからデリヘルに女を売りつけるルートをちゃんと話してくれ。そうしたら、おまえの借金をおやじさんに頼んで埋めてやれないこともない」

恐るおそるダイキはおれを見た。額から落ちる汗は、なにも暖房のせいではないだろう。

「誰に話せばいいんだ」

「池袋署の生活安全課」

「そいつは無理だ。一ツ木企画は池上のフロント企業だぞ」

「じゃあ、毎日西三番街を掃き掃除しろ。街がきれいになって、おれはうれしいよ。おまえ、無給で半年もつのか。おまえは『ブラックスワン』や一ツ木にどんな借りがあるんだ。しかも、こいつは誰にもばれない話なんだぞ」

あとはぬるくなったココアをすすりながら、じっくりと待つだけだった。ダイキのような男には、自分以外はなにも守るものがないのだ。誰を裏切っても平気だし、誰もが自分を裏切ると思っている。やつにとって世界は非情だ。

「わかった。いつ話しにいけばいい」

三分後そういうと、やつは薄くなったアイスコーヒーをひと息でのみほした。

その日の夕方、おれは店を早仕舞いした。おふくろといっしょに、駅の反対側東口にある豊島公会堂にいく。池袋フェニックス会に顔をだすためだ。広い公会堂なので、うしろの席はがらがらだった。おれが遠くの議事進行を眺めていると、となりにどさりと男が座った。池袋署生活安全課の刑事・吉岡。やつが少年課にいたころからの腐れ縁ってやつ。

「署長も、よろしくといってたぞ。今度はなんだ、マコト」

おれは声を殺していった。

「組対部のやつらにひと泡吹かせられるかもしれない。池上組が組対部にルートをもってるのは、礼にいからきいてるだろ」

「まあな。やつら、急におりてきて、池袋を好きなようにしやがって。おれもむちゃくちゃな取り締まりに駆りだされてばかりだ」

そこでおれはホストクラブと池上組系列の新型デリヘルの話をした。ダイキというホストから証言もとれるし、被害者の女がふたり都の健康センターにある組対部ではなく、池袋署に駆けこむ手はずになっていると。しかも、女たちは店に本番を強要されているらしい。のどを鳴らして、吉岡はおれの肩をたたいた。

「おれの部下なら、表彰ものだ。あのデリヘルは組対部のやつらが絶対に手をださないので有名だった。おまえ、目のつけどころがシャープだな」

どこかの企業のコピーをパクっている。センスのない刑事。

「それで、なんでこんなところまで、おれを呼びだしたんだ」

おれはにやりと笑っていった。

「まあ、見ていてくれ。すぐに始まるから」

それは閉会間際のことだった。淡々といつものようにすすんだ池袋市民の会合は、突然始まった提案に揺れたのだ。うちのおふくろをはじめとする西口商店会の有志が立ちあがって、マイクを求めたのである。おふくろがまわされたマイクをもって叫んでいた。

「ロマンス通りのつきあたりにある『ラブネスト』っていう風俗店で、本番があるって噂をききました。今、池袋では一番の人気店で、組織犯罪対策部の人からは、問題のない合法な店だといわれたけれど、地元のわたしたちは納得がいきません。きちんと調べてください」

おふくろのつぎに男がマイクをにぎった。ロマンス通りにあるカレー屋のおやじだった。おれは目を丸めている吉岡に囁《ささや》いた。

「どうだ、組対部は動くかな」

壇上のテーブルでは、都の役人と組対部の制服組が驚きの表情を浮かべている。なにもないはずの定例会は、おしまいの三分で嵐に見舞われたのだ。

「いや、どうかな。すぐには動きがとれないと思う」

「だろう。でも、地元の商店会の有志が告発して、同時に女たちが駆けこみ、ホストからもちゃんと裏がとれたら、池袋署はどうする」

やつは大笑いして、さっきより強くおれの肩をたたいた。

「いい子だ、マコト。署長にはその話はしてあるのか」

「ああ、電話だけどな」

吉岡は立ちあがるといった。

「明日にでも、いいニュースを教えてやる。これであのデリヘルと一ツ木に手をいれて、腹のなかを好きなだけかきまぜてやれる。組対部のエリート連中もいい面の皮だ」

吉岡はおれが中学のころから見慣れた化繊のコートの裾をひるがえし、意気揚々と公会堂をでていった。おふくろはまだマイクをもったまま、叫んでいる。

「なにがフェニックスだい。生きてる街の人間ごと燃やしたんじゃ、治安回復も安全もないもんだ。わたしたちを殺す気かい」

恐ろしい剣幕。こんな女を敵にまわさなくてよかった。


その夜、おれは豊島公会堂からすぐに西口にもどった。ロマンス通りの角で、カズミを待つ。約束の八時半ちょっとすぎ、カズミと見たことのない若い女が手ぶらでやってきた。十月も終わりで、東京はかなり冷えこんでいた。女たちはカーディガンや薄手のジャージを羽織った軽装だ。唇を青く震わせて、カズミはいった。

「タバコ買いにいくっていって、でてきちゃった。荷物は携帯と財布だけだよ」

顔色は悪いが、これから起こることへの期待で、高揚しているようだった。じゃらじゃらとマスコットをぶらさげた携帯電話を振ってみせる。

「いこう。池袋署で知りあいの刑事が待ってる」

署までは歩いて五分とかからないが、万が一のことを考えて、おれたちは劇場通りにでてタクシーをとめた。


カズミの供述をとり終えるころ、時計はすでに十一時をまわっていた。廊下のベンチで待つおれのとなりには、イクミが座っている。お決まりの白いブラウスに、紺のスカート。昭和中期の音楽教師のコスプレのようだ。生活安全課の取調室からカズミがでてくる。おれとイクミに気づいて、一瞬足がとまった。

「お姉ちゃん……」

イクミが泣いていた。ジーンズにカーディガンを羽織ったカズミは自分の身体を抱くようにして、おれたちのまえに立った。

「あーあ、またこんな感じになっちゃった。別にたいして助けてほしいとも、思わなかったけどさ」

妹に救われた姉は照れているようだった。永遠のライバルでもある姉妹の再会の雰囲気を壊さないように、おれはその場を立ち去ることにした。最後にいう。

「カズミ、あんたが妹をどう思おうと自由だ。でもな、彼女はなけなしの留学資金まで、今度の件につぎこんでいる。あんたをあの店から抜けさせるためにな。ピアノが上手い下手じゃなく、あんたのことを思う妹の気もちも考えてやれよ」

カズミははっと驚きに目を開いておれを見た、それからゆっくりりと妹の目をのぞきこむ。抱きあって涙を流す女たちをあとにして、おれは池袋署を離れた。

池袋署がデリヘル「ラブネスト」と金融業「一ッ木企画」それにホストクラブ「ブラックスワン」に強制捜査にはいったのは、翌土曜日の午後七時だった。全三十八室あるデリヘルの個室はほぼ満杯だったという。本番中の会社員はさぞびっくりしたことだろう。従業員と女たちあわせて四十六人が、その場で引っ張られている。グリーン大通りの一ッ木企画からは、段ボール箱二十個分の関係書類が押収されたそうだ。ホストクラブの代表と幹部数名は事情聴取を受けた。

その日は夜中まで、おれの携帯は鳴りっ放しだった。最初は羽沢組の渉外部長サルから。

「やったな、マコト。これであのデリヘルは閉店だ。一ッ木のやつらも、しばらくはおとなしくしていることだろう。オヤジさんが、えらくおまえのことをほめてたぞ。あれくらいの金は安いもんだとな」

ダイキとカズミの借金は、豊島開発と羽沢組の金で埋めるつもりだったのだ。妹の留学資金を吐きださせるわけにはいかないからな。つぎは池袋のキング、タカシから。

「おまえの冗談を女たちが本気にしている。うるさくてたまらない。デリヘルが片づいたら、おれのほうのトラブルも解決してくれよ。それから、女たちへの報酬も忘れずに。またなにかあったら、声をかけろ」

やんごとないおかたからのありがたいお言葉だった。

「ああ、女たちへのキスに飽きたら、どこかへのみにいこう」

返事はなく通話は切れたが、おれにはやつが笑ったのがわかった。長いつきあいだ。それくらいはわかる。いくら女がいなくても、おれのまわりにはいい男がたくさんいる。それだけでもずいぶん生きていくのはたのしくなるものだ。最後の電話は、吉岡から。

「組対部の連中がかんかんに怒って、うちの署に怒鳴りこんできたよ。あいつらの顔をおまえにも見せたかったな。独断専行はいかんのだとさ。自分たちのやっていることをやつらはぜんぜんわかっていないみたいだな。うちの署長は見事にやつらをはねつけている。緊急時の救出的な捜査だといってな。おまえのタイミングがよかったんだ。組対部もフェニックス会で、デリヘルの訴えはきいている。だが、同時に女たちをうちに駆けこませたから、一歩先にこちらが動くことができた。やつらもいつまでも文句はつけられないだろう。明日の新聞にはでかでかとのるからな」

どうもありがとうといって、おれは電話を切った。翌日の朝刊で礼にい、いや池袋署の横山礼一郎警視正はこんなコメントを述べていた。今回の強制捜査が都がすすめる治安回復の一助になったことが、たいへんによろこばしい。これからも池袋の街を守るために組織犯罪対策部とは緊密な連携をとっていきたい。

まったく政治家でも警察官でも、エリートというのはたいへんである。果物屋の店番には政治的発言などないから、お気楽なものだ。

おれはそれですべての事件が片づいたと思っていた。あとは面倒な残務整理が少々。だが、残念ながら、シェークスピアのいうとおりだったのだ。終わりは始まり、始まりは終わり。もっともなにが起きても、あの化けものの台詞に感心することになるのは、世界中の誰もが知っている。

異変の知らせは、ピアノが上手いおれのプロスペローからやってきた。久々に寝坊した週明けの月曜日、おれの四畳半で携帯電話が鳴った。

「なんだよ、こんな朝から」

寝ぼけていると、耳元でイクミの声がした。

「うちのマンションのまえに、男の人たちが何人もいるんです」

意味がわからなかった。警察がいったん保護した被害者をつけまわすなんて、自殺的な行為である。筋ものがとる手段とは思えなかった。

「ふたりとも部屋のなかにいたほうがいい。おれがすぐいくから、それまでは警察への通報は控えてくれ。なにが起きても部屋の鍵を開けたらダメだぞ」

おれは飛び起きて、昨日の夜に脱いだままになっていたジーンズをはいた。店を開ける時間だったが、おふくろにひと声かけて通りに飛びだした。


目白四丁目は高級住宅街。生垣とレンガ敷きの道。一軒家の駐車場にはメルセデスとＢＭＷ、たまにジャガーが少々。おれの家から走れば十分とかからないが、街の空気は都心と高原ほど違う。

おれは瀬沼姉妹の住むマンションにむかった。サンドベージュのタイル張りのエントランスのまえには、男たちが四人立って、じっと三階の部屋を見あげていた。おれはすこし離れたところから、やつらを観察した。

濃い灰色か紺のスーツ。なでつけた髪。黒革のカバン。暴力団関係ではなかった。銀行マン風の一団である。そのうちのひとりがこちらを振りむいた。どこかで見た顔。ラブネストのエレベーターで出会った梅中という男だ。おれはあわてて財布のなかにいれっ放しになっていた名刺を抜いた。㈱二十一世紀リゾート　総務部長。なぜ、そんなお偉いさんが、わざわざカズミのマンションまで押しかけているのだろう。

おれは目白通りまででてから、携帯電話をつかった。かけたのは姉のカズミのほう。

「マコトだ。今、すぐ近くまできてる。男たちはデリヘルの親会社のやつらだ」

カズミは悪びれずにいった。

「うん、わかってる。あの梅中って男、わたしの常連だったから」

あきれた。やつは自分の会社でやっているデリヘルにいりびたっていたのか。公私混同もいいところ。あきれていると、カズミがいった。

「あの変態、黒ストッキングが大好きで、いつも自分の好きなブランドのやつをもちこみしてた。さっきから、何度もピンポンピンポン、うるさいんだよね」

目白通りのイチョウもすっかり色づいていた。秋の日ざしを浴びて、燃え立つような黄金色だ。この通りは池袋とは大違いで、ちょっとしたリゾート地のメインストリートのような雰囲気。おれもオープンカフェでフレンチトーストでもくいたくなる。

「やつらはなんていってるんだ」

「わたしとちょっと話がしたいだけだって。もう借金のことはいいから、ききたいことがひとつあるみたい」

まるで意味がわからなかった。大の男が四人がかりで足を運ぶほど、そいつは重大なことなのだろうか。配下のデリヘルと街金に手いれがあれば、本社の二十一世紀リゾートだって、大混乱のはずだった。

「それとなく、用件をききだせないか。この電話をつないだまま、ドアホンで話してみろよ」

「わかった」

携帯電話のむこうでごそごそと移動する音がした。おれはガードレールに座り、耳を澄ませる。毛糸のチョッキを着せたチワワを散歩させる品のいいおばあちゃんと目があった。軽くうなずいてみせる。ピンポンと電子のチャイムの音。カズミの声がした。

「あまりしつこいと警察を呼ぶよ。それより、いったいさっきからなんの用なの」

「だからシェリーちゃん、ちょっと話をしたいだけだって」

総務部長の猫なで声がきこえた。黒ストッキングフェチの梅中だ。

「もう帰ってください。ほかの住民にも迷惑になるし、用件を先にいわないなら、警察を呼びます」

カズミは機転がきく女だった。これならピアノをやめてもいくらでもくっていく道はあるだろう。

「わかった、わかった。実はわたしは大切なものをなくしてしまってね。どこかに落としたか忘れたと思うんだけど、困っているんだ。それで、足を運んだ先で落としものを捜して歩いているんだ」

　それほど重要な落としものってなんだろうか。カズミも同じように考えたらしい。

「なにを落としたんですか」

　梅中は慎重になったようだった。

「それはちょっとわたしの口からはいえない。でも、ほんのちいさなものだ。なかにはわが社にとって、とても大切なものがはいっている」

「ぜんぜんわかりませんけど。なにか気がついたら、梅中さんに連絡します。今日のところは帰ってください」

　おれは秋の日を浴びながら考えていた。カズミは着のみ着のままでラブネストを逃げてきたはずだ。あのとき携帯と財布しかもっていないといっていた。梅中の勘違いかもしれない。携帯のむこうでカズミの声がした。

「マコトさん、あいつら帰ったから、部屋にきて。わたし、たいへんなものをパクっちゃったかもしれない」


　おれはすぐマンションにもどった。さすがに音大生専用の建物で、壁もドアも厚く、サッシは二重になっていた。リビングルームの中央には長さが二メートル以上もあるグランドピアノが堂々とおかれている。

おれが部屋にあがると、カズミは携帯電話を振ってみせた。アクセサリーがジャラジャラと鳴る。にっと笑って、おれにいった。

「さっきの梅中の台詞でわかった。わたし、あいつのアタッシェのなかから、こいつをパクってたんだよね」

カズミはアクセサリーのなかからピンクのプラスチックケースを選《え》りだした。

「かわいいから、もらっておこうと思って。あんなやつには似あわないじゃん」

筋が悪いのはピアノだけでなく、手癖も同じようだった。カズミは力をいれて、楕円形のちいさなキャップをはずした。なかからあらわれたのは金属のソケット。おおきさにしたらほんの数センチしかないUSBメモリーだった。

「きっとあの男が捜してるのはこいつだよ。いっしょになかを見てみよう」

おれたち三人は、カズミの寝室にむかった。窓のまえにおかれた学習机のうえにはノートパソコンが開いてある。起動して、USBメモリーを挿した。マイ・コンピュータの画面から、メモリーを選ぶ。ダブルクリックでなかを開いた。おれはマッキントッシュ派なので、作業はすべてカズミまかせだ。

十五インチの液晶画面がたくさんのアイコンで埋まった。タイトルを読んでいく。05年度上半期事業計画、同資金計画、ラブネスト第三・四半期営業成績……。その手の資本主義的題名が続いている。

「二十一世紀リゾートの裏帳簿でもはいってるのかな」

おれはカズミと交代して、カーソルを動かしながらタイトルを調べていった。おしまいから二行目の一番端に、そのファイルが見つかった。瀧沢副知事後援会　政治献金リスト。

「なんだ、これ」

再びダブルクリック。開いた書式の頭には、同じタイトルがゴチック体ではいっている。おれは表の中身を読んでいった。二十一世紀リゾートから、瀧沢武彦の後援会への政治献金が始まったのは、去年の夏のようだった。最初は政治資金規正法を守った、ほんの数万円の献金だった。表を横に見ていくと、領収書の受領欄がある。そこにはどれも○が打たれていた。

それが今年の春から、様子が変わっていた。新たに特殊献金という項目が増えたのだ。

金額は一度に一千万単位だった。最大のものは池袋フェニックス計画が始まる直前の八月。四千万円の特金である。特殊献金のほうは領収書を受け取っていないようだった。すべて空欄になっている。

おれは欄外を見た。＊印のあとには、こんな注がついていた。特殊献金の場合、後援会会長かＴ本人に直接手わたしのこと。

あらためてノートパソコンの横に挿さったピンク色のＵＳＢメモリーを見た。こんなちいさなパーツのなかにひとりの政治家の命を絶つ情報がはいっている。アラジンの魔法のランプのようだ。

さて、こいつをつかってなにをするか。おれはみっつの願いについて、真剣に考え始めた。

ポケットにＵＳＢメモリーをいれて、うちの店にもどった。こんなにでかい秘密をもって歩くなんて、生まれて初めてのこと。なんだか妙に足元が軽かった。雲のうえでも歩いている気がする。

店番をしながら、午後のあいだずっと考えていた。おれがなにをするべきか。この街のためになにが必要か。この情報がおれの手元に流れ着いたのには、やはりなにか隠された理由があるはずなのだ。池袋のフェニックスよりもさらに高く、空の遥かな玉座に座っている誰かは、おれになにをさせたいんだろう。サン富士や長十郎やハウスもののイチゴなんかを売りながら考えたのである。

おれが礼にいに電話したのは、秋の日が暮れかかった午後五時。署長は上機嫌でおれの電話にでた。

「よくやったな、マコト。組対部のやつらの鼻を明かしてやった。おれの出世には、あまりいい影響はないかもしれないが、胸がすっとしたよ」

「そうか、それはよかった」

おれは夕日を浴びた店先を眺めていた。人生には何度こんな重苦しい夕日があるのだろう。

「なんだ、元気ないじゃないか。どうした、今夜のみにでもいくか。こっちは時間空いてるぞ」

おれはすこしだけ笑った。話すしかないだろう。

「じゃあ、ゲストをひとり呼んでくれ」

「ああ、いいよ。誰だ」

ため息をついて、おれはいう。

「礼にいの先輩。瀧沢武彦東京都副知事」

「そいつは無理だ。むこうは超人的にいそがしい人なんだぞ」

「いいや、絶対にくる。二十一世紀リゾートの特金のすべてを知ってるガキがいるといってくれ」

池袋署の署長の声が焦っていた。おれは重ねていう。

「いいか、礼にい。こいつは冗談でも、なんでもない。副知事の政治生命がかかった問題なんだ。直接、瀧沢さんと話してくれ。いいな、領収書のない特金のすべてというんだ」

「わかった。おまえがそれだけいうなら、電話をしてみる。だが、むこうがいいというかはわからないぞ」

「ありがとう、礼にい」

おれはそれだけいって、電話を切った。ほんとうに不思議だった。なぜ、おれたちはワンパック五百円のイチゴを売るだけで満足できないのだろうか。新型デリヘルにしても、特殊献金にしてもそうだ。なぜ、おれたちは満ち足りることを知らないのか。

永遠に生きるという火の鳥は、愚かな人間たちのことをどんな思いで見おろしているのだろう。


礼にいからの電話は、五分後に返ってきた。驚いた声で署長はいった。

「おまえ、どんな魔法をつかったんだ。瀧沢さんが会見の場所を指定してきたよ。新宿のヒルトン東京だ。今夜の十二時、ロビーで会おう」

「わかった」

礼にいはあきれたようにいう。

「なあ、マコト、おまえ、どっかの国の諜報部員じゃないよな」

おれは笑っていった。

「どこにこんなに貧乏な007がいるんだよ。おれがただの果物屋の店番だって、礼にいもよく知ってるだろ」

池袋の警察署長はほがらかな声をだした。

「ああ、知ってる。おれも店番に対する見方をあらためなくちゃいけないな」

日本全国の低所得の店番全員の名誉のために役立った。そう考えると、おれの仕事も悪くない。


その日は夜、コウイチと飯をくう約束だった。だが、USBメモリーの情報に保険をかけなければいけない。店をおふくろにまかせて、サンシャイン60のむかいにあるデニーズにいった。ゼロワンはまた窓際の席に座って、窓の外を眺めていた。おれがボックス席のまえに滑りこむと、やつはガス漏れのような声でいう。

「あのビルはおれの墓石みたいだな」

インプラントをしたスキンヘッド。やつは窓で半分に切れたサンシャインシティを見あげていた。

「おれは一年中こうして、あのビルを見てる。いつか死んだら、あのビルの足元に埋めてもらいたいもんだな。仕事は、なんだ」

ゼロワンの感情はアナログのように連続していなかった。根っからデジタルなのだ。いきなり感傷からビジネスに跳ぶ。おれはテーブルにＵＳＢメモリーをおいた。

「今夜おれから連絡がはいらなかったら、こいつの中身を東京中の新聞や放送局に送りつけてほしい。重要な情報なんだ」

「マコトからの連絡がはいったら」

「そっちの情報はすべて消去してくれ」

やつはピンクの透明ケースをてのひらにのせた。

「おまえを見ていると、リアルな世界もそれほどつまらないわけでもないような気がしてくるから不思議だな。待ってろ、今吸いだすから」

ほんの数瞬でリッピングは終了した。おれはメモリーを受け取り、ゼロワンにいった。

「まあ、リアルワールドも悪くないけど、おれは逆にときどきおまえがうらやましくなるよ。全部が白か黒か、ゼロかイチかで割り切れたらどんなに楽だろうな」

ゼロワンはしゅーしゅーしゅーと息を吐いた。笑っているのだろう。ダースベイダーかこいつ。


だが、やつらも手をこまねいていたわけではなかったのだ。おれはその日のうちに、思い知らされることになった。調子にのりすぎるのは、なんにしても危険なことだった。

おふくろは例の公会堂の一件以来、絶好調だった。しかも、池袋署の強制捜査であのデリヘルも閉店したままだ。おれがでかけようとすると、背中から声をかけてきた。

「ちょっと待ちな。もうほかにこっちがやることはないのかい」

そうそう最終兵器をつかうわけにはいかなかった。組対部の連中がかわいそうになる。

「どうも、マコトさん、おかあさま、こんばんは」

水商売で鍛えた礼儀ただしさで、コウイチが腰を折った。西一番街でそんなことをやっているのは、こいつくらいのもの。目立ってしかたない。しかも、やつはまたもおれと同じような格好をしている。XLの霜降りパーカに、ワイドジーンズ。頭にはカージナルスのキャップ。まるで影武者みたいだった。

「おふくろにはまたつぎの大事件が起きたときに頼むよ。おれは勝ちすぎるの、あんまり好きじゃないから。いこうぜ、コウイチ」

おれたちは西口に新しくできたタイ料理のレストランにいく予定だった。池袋は実は有名なエスニックタウンで、アジア各国の料理が格安でたべられるのだ。ベトナム、タイ、フィリピン、インドネシア、モンゴル、ほとんどなんだってある。ときどき日本語のメニューがない店があって、そういうときはなかなか苦労するんだが。

「そうだ、ちょっと待っててくれ」

おれは二階にあがって、パーカーだけでも着替えようと思った。男同士がペアルックで夕食なんて、気味が悪いからな。それが間違いの元だったのである。二階の四畳半でパーカーを脱いでいると、おふくろの悲鳴があがった。ばたばたと路上を走っていく足音がする。嫌な予感がした。おれは上半身裸のまま、階段を駆けおりた。

「だいじょうぶかい、コウイチくん。今、救急車呼ぶからね」

倒れているのは、おふくろではなくコウイチだった。おれは携帯を抜いて、すぐに救急車を呼んだ。焦ってはいたが、自分の家の住所を間違えることはなかった。おふくろはいう。

「いきなりものかげから走ってきた若い男が、コウイチくんの背中を刺して逃げていった。どうして、こんなことに」

コウイチはショック状態で、意識を失っている。出血のせいか、顔が氷のように青かった。おれはコウイチの横にひざまずき、血だまりのなかに落ちているキャップを拾った。おふくろと目があった。むこうもわかったようだ。

「じゃあ、コウイチくんはマコトと間違われて、刺されたのかい。この子はおまえの身代わりだったのか」

おふくろは吠えるように泣きだした。死んじゃだめだ、死んじゃだめだ。あんなに取り乱したおふくろの声をきいたのは、うちのおやじが死んだとき以来。救急車が店のまえにとまったのは、それから五分後のことだった。パトカーのサイレンも近づいてくる。おれはおふくろにいった。

「すまない。今夜どうしても会わなければいけない人間がいる。コウイチのことを頼む。警察で事情聴取を受けてるわけにはいかないんだ」

おふくろは顔をあげた。

「そいつはこの子の敵討《かたきう》ちに関係あるのかい」

うなずいた。おれが邪魔になったのは、池上組系列の誰かに決まっている。組対部のほうから、今度の裏の動きが漏れたのかもしれない。コウイチは救急隊員に止血と点滴を受けている。ストレッチャーにのせられ、運ばれていった。

「おれは今夜、フェニックスに片をつけるつもりだ」

おふくろは真っ赤な目をしていった。

「いってきな、マコト。負けて帰ってきたら許さないからね」

警官がやってくるまえに、おれは犯行現場になった自分の家から姿を消した。


すぐに電話をいれたのは、タカシのところだった。やつの声は真冬を控えて一段と冷えこんでいた。

「どうした」

「人違いで、おれによく似たやつが刺された。うちの店のまえだ」

タカシはおれのことを誰よりもよく知っている。やられたままでいるわけにはいかなかった。抑えた声でやつはいう。

「おまえは、どうしたい」

「ボディガードを四人貸してほしい。こいつはこのまえの仕事とは別料金だ。飛び切りのやつを頼む」

かすかに笑って、キングはいった。

「そうなると、おれをふくめてあと三人だな。どこにいる？　すぐにむかえにいく。そこを動くな」

おれは西口ロータリーの隅にある交番のまえに立っていた。いくら武闘派の池上組でも、ここで再襲撃はないだろう。だが、やはり恐怖は隠せなかった。ＧボーイズのＲＶがくるまでの十五分間、おれは震えながら交番の壁に背中を張りつけていた。


真夜中の十二時、ヒルトン東京のロビーは、華やかに閑散としていた。ロビーの端に立つおれのまわりを、四人のＧボーイズがかこんでいる。タカシはおれの背中を守っていた。約束の時間ちょうどに、スリーピースを着た礼にいがエレベーターのほうからやってきた。おれの周囲を見てからいう。

「そいつらは」

おれはうなずいていった。

「おれのボディガード」

「そのまま全員部屋にいれるわけにはいかないな」

「いいよ、ドアのまえまででいい」

「わかった」

おれたちはひとかたまりになって、エレベーターにむかった。部屋は二十四階のスイートルームだった。予約をいれたのは、瀧沢副知事だという。厚いじゅうたんの張られた廊下で、おれはタカシにいった。

「ここで待っていてくれ。誰がきてもなかにはいれないようにな」

キングは王の余裕でおれにうなずいてみせる。

「おれがやるといったことを失敗したことがあるか」

おれはうなずいて、礼にいといっしょにスイートにはいった。


間接照明に淡く照らされた部屋だった。新宿の街のにぎわいがひどく遠い。背の高いスーツの男が窓辺に立っていた。決して開くことのない超高層の窓だ。瀧沢は振りむくと、驚きの目でおれを見た。

「こんなことはいつまでも続かないとは思っていた。だが最後の知らせをもってきたのがきみのような少年だったとはな」

おれは別に少年という年でもない。礼にいがいった。

「瀧沢先輩、こいつはただの果物屋だけど、信用のできる人間です。二十一世紀リゾートの特金というのはなんだったんですか」

説明はもう面倒だった。おれは後援会への政治献金リストを瀧沢にさしだした。やつは受け取るとちらりと中身に視線を走らせた。首を横に振り、礼にいにわたす。しばらく紙面に目を落としていた礼にいの顔色が変わった。

「池上組のフロント企業から、裏献金を受けていたんですか。こんなことがばれたら、あなたの政治生命は終わりです」

瀧沢はまた窓のほうをむいてしまった。静かな声でいう。

「あのすこしだけ見えるビルがわかるかな。あそこはわたしの妻がかよっている大学病院なんだ。自損事故の後遺症で、身体の半分が動かなくてね。リハビリというのもたいへんだ。元あった機能を回復する。その苦労は人でも街でも同じじゃないだろうか。わたしは池袋を昔のような安全な街にしたかった。ほんとうにそう考えていた」

ひと息いれて、副知事は続けた。

「どの国の人間でも最初に街に足がかりをつけるのは女たちなのだ。女たちの経済力をあてにして、あとから男たちがやってくる。観光ビザの女性を強制送還するにも、理由がないわけでないんだよ。まあ、これで治安回復など夢に終わってしまったが」

瀧沢は穏やかに笑っていた。おれはじれったくてたまらなかった。

「あんたが本気で仕事をやろうとしたのはわかる。でも、どうして池上組や一ッ木企画なんかと手を組んだんだ。やつらが最悪の選択だって、頭のいいあんたならわかっただろう」

おれを振りむいて、表情のない顔でやつはいった。

「そんな口をきかれたのは、大学生以来だな。すべての薬は毒だ。逆にすべての毒はつかいかたによって、薬になる。街を根本から変えるには、新しい勢力が必要だと思ったのだ。風俗だって、すべて潰せばいいというものではない。当局がコントロールできるものなら、存続させてもかまわない。なあ、横山警視正、指導とはそういうものではないかな」

礼にいは姿勢をただしていう。

「目的のためにすべての手段が正当化されるものではありません、副知事」

おれはその夜ただひとつききたかった質問をした。こたえによっては、ゼロワンに劇薬の情報を流させるつもりだった。

「おれたちが生きてるバカな世界では、おおきな正義のまえで、どれくらいちいさな犠牲が許されるんだろうか」

「わたしの妻は、いつもいっていたよ。法律だとか力だとかは、ほんとうに細心の注意でつかったほうがいい。あなたは選ばれた人だから、どれほど気をつかってもつかいすぎることはないと。その妻が自殺を図ったのは、わたしの出世のためだった。考えてみると、あれはわたしにもっとおおきな力をもたせ、それを誰よりも細心につかわせたかったのかもしれないな」

おれはジーンズの尻ポケットから、カージナルスのキャップを抜きだした。コウイチの血がこびりついたままの赤いキャップだ。

「今日の夕方、おれの身代わりで若い男が刺された。おれのダチだった。おれの目のまえで、うちの店先でだぞ。きっと犯人は池上組の関係者だろう。見てくれ」

おれは自分の分を脱ぎ、ふたつならべてやつのまえにさしだした。

「コウイチはいいやつだけど、池袋のお見合いパブで呼びこみをしているあまり頭のよくないガキだ。あんたの奥さんもホステスだったんだよな。治安回復ができるなら、風俗で働いてるようなやつは刺されたり、つまはじきにされてもしょうがないのかな」

瀧沢は血に濡れたキャップを手にした。胸に抱えこむ。白いシャツがなすったように血で汚れた。おれの目を見ていった。

「そんなことがあったのか。すまない。池上を徹底的に締めあげることにする。それが副知事としてのわたしの最後の仕事になるだろう」

じっとやつの目を見つめた。嘘はいっていないようだ。

「待てよ。おれはこのデータをばら撒くなんて、ひと言もいってないぞ。あんたにはまだやらなきゃならない仕事があるんだろ。そいつはおれみたいに街の底にへばりついてる人間には絶対にできない仕事のはずだ。おれはいつもあんたのことを見ている。あんたがもう一度道をはずれそうになったら、そのときはあいつをばら撒くことにする」

おれは礼にいのほうを振りむいた。

「それでいいかな、署長さん」

礼にいはうなずいて、おれに献金リストをもどした。おれたちの街の警察署長はいった。

「おれはこいつを見なかったことにする。フェニックス計画の再検討をお願いします、副知事」

おれはプリントアウトを細かに引き裂いた。

「それにはおれもいいたいことがある。だけど、そいつはまた今度な。専用のＳＰを廊下に待たせているんで」

「待ちなさい」

瀧沢は窓を離れ、おれのところにやってきた。コウイチのキャップと同時に握手の手をさしだした。おれは副知事の手をしっかりとにぎった。

「そのキャップはあんたがもっていてくれ。新しい法律をひとつつくるたびに、どんな形で苦しむ人間がでるか。その証として、いつも手元において、眺めてほしい。じゃあ」

おれは真夜中のスイートルームを離れた。副知事が見送っているのだ。背中が曲がっていないかどうか、すこしだけ心配だった。

コウイチは二週間ほど入院して、元気に池袋にもどってきた。また、お見合いパブの呼びこみとして復活している。やつはもうおれと同じような格好はしていない。一度で懲《こ》りたのだそうだ。来年春の都の公務員採用試験をめざし勉強を始めたという。

コウイチを襲った犯人は、数日後に自首している。本人かどうかはわからないけれど、おふくろはよく似た男だといっている。やはり池上組の息のかかった人間のようだが、おれにはよくわからない。

池上組系列の店が一斉取り締まりにあったのは、さらに数日後のことだった。サルはひどくよろこんでくれた。これで渉外として、同じ立場で池上とも交渉ができる。テーブルにつかせてしまえば、あとはうまく共存共栄できるのだそうだ。どちらにしても、おれにはあちらの世界のことは理解不能だ。

イクミはドイツ留学にむけて、語学とピアノの練習中。あい変わらずの女教師ファッションだが、結局おれは一度もデートすることはなかった。やっぱりあんまりまっすぐすぎるのも考えものである。だって悪さをする気にならないからな。

池袋のフェニックスは結局、地上につながれることになった。治安回復作戦はまだ続いているが、ずいぶんと血のかよった方針に転換しているのだ。都の健康センターにある入管でさえ、取り締まりだけでなく居住手続きができるようになったくらい。池袋の街には、徐々に外国人の姿がもどり始めている。エミーカはまたうちの店のいい客になってくれた。

さて、最後にカズミのこと。おれはイクミとはつきあわなかった代わりに、何度か姉のほうと遊ぶことになった。あいつはピアノは趣味にして、卒業後はなにか普通の仕事を探すのだという。まあ、あの手癖の悪さを直さなければ、どこにいっても長続きはしないだろうが、自分ではピアノへの未練を断ち切ったら盗癖も収まったといっている。

カズミのいうことだから、あまり信用はできないが、その盗癖のおかげでフェニックスがおとなしくなったのだ。逆に感謝しなければいけないのかもしれない。よく晴れた午後、あいつはうちの店にやってきていう。

「毎日ピアノの練習をしなくていいと、時間があまってしょうがないよ。今日はなにして遊ぼうか、マコちゃん」

何度かのデートのあとで、おれたちはそういう関係になったけれど、おれは梅中のように自分の趣味をあいつにいうことはまだできないでいる。副知事にはちゃんと口がきけるくせに、メイド服のよく似あう女子大生にはなにもいえないんだから、おれはまだまだ修行が足りないのだ。

『火の鳥』がかかる店先で、カズミはあの複雑なリズムにあわせて指先を動かす。まもなく冬を迎える西一番街で、十本の指だけが春風のように軽やかだ。空にはピアノ線のような筋雲が浮かんでいる。おれは今年の冬がうんと寒くなればいいなと思った。なあ、理由はあんただってお見とおしだろ。寒いほど、生きもの同士の距離は縮まるものだ。それはウエストゲートパークの鳩も、野良猫も、人間も変わらなかった。

初出誌「オール讀物」
灰色のピーターパン　二〇〇四年十二月号
野獣とリユニオン　二〇〇五年四月号
駅前無認可ガーデン　二〇〇五年七月号
池袋フェニックス計画　二〇〇五年十一月・十二月号

灰色《はいいろ》のピーターパン
——池袋《いけぶくろ》ウエストゲートパークⅥ

2006年6月30日　第1刷
2006年7月5日　第2刷

著　者　石田衣良《いしだいら》
発行者　白幡光明
発行所　株式会社　文藝春秋
東京都千代田区紀尾井町3-23
郵便番号　102-8008
電話（03）3265－1211
印刷　凸版印刷
製本　加藤製本
定価はカバーに表示してあります

万一、落丁・乱丁の場合は送料当方負担でお取替え致します。
小社製作部宛お送り下さい。

ISBN4-16-325030-1

石田衣良の本

池袋ウエストゲートパーク

刺す少年、消える少女、潰し合うギャング集団……命がけのストリートを軽やかに疾走する若者たちの現在を、クールに鮮烈に描く大人気シリーズ第一弾。表題作の他三篇収録

四六判・文春文庫

文藝春秋刊

石田衣良の本

反自殺クラブ

池袋ウエストゲートパークV

集団自殺を呼びかけるネットのクモ男、風俗スカウト事務所の集団レイプ事件、中国の死の工場を訴えるキャッチガール……ストリートの今を鮮やかに切り取る新世代青春ミステリー

四六判

文藝春秋刊

石田衣良の本

波のうえの魔術師

謎の老投資家とプータロー青年のコンビが、預金量第三位の大都市銀行を相手に知力の限りを尽くし、復讐に挑む。連続テレビドラマ化された新世代の経済クライムサスペンス！

四六判・文春文庫

文藝春秋刊

石田衣良の本

アキハバラ@DEEP

社会からドロップアウトしたオタク青年たちが、裏秋葉原で出会い、ネット界に革命を起こすeビジネスを始めた。オタクの誇りをかけた長篇青春電脳小説。TVドラマ化決定

四六判